L'expression des sentiments

Patrick Poivre d'Arvor

L'expression des sentiments

Stock

Couverture Hubert Michel
Photo de bande : © Collection personnelle de l'auteur

ISBN 978-2-234-07181-0

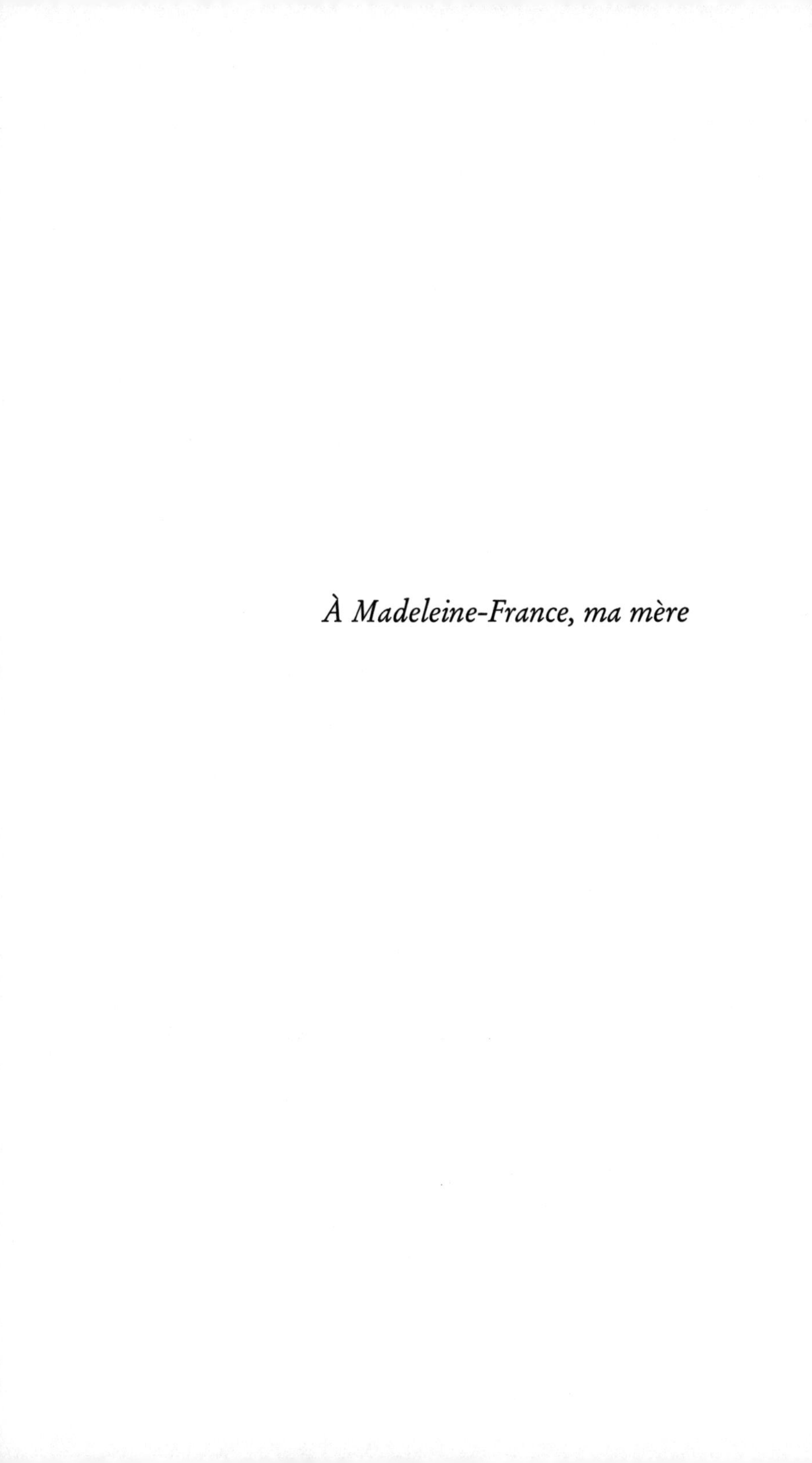

À Madeleine-France, ma mère

Nous fûmes les guépards, les lions ; ceux qui nous remplaceront seront les chacals et les hyènes ; et tous, guépards, chacals, et moutons, nous continuerons à nous considérer comme le sel de la terre.

Giuseppe Tomasi di Lampedusa
(*Le Guépard*, 1958)

Je dois avoir six, sept ans. Nous habitions encore rue Clovis, c'était avant les années bourgeoises. Ma sœur venait de me causer un minuscule chagrin. Aujourd'hui, c'est la bonté même, elle ne fréquente que des saints, son auréole l'attend là-haut, mais, en ce jour, elle m'avait joué un tour de peste : elle avait coupé les nageoires de mon poisson rouge. Il s'appelait Titi d'Or. Je le dévorais des yeux, j'avais le regard à hauteur d'aquarium. Je le croyais si libre ce petit animal qui évoluait avec grâce dans son eau sale de poisson rouge. Sale à cause de moi. Je le gavais d'une nourriture qu'on versait par pincées d'une petite boîte ronde et rouge, comme lui.

Elle a pris des ciseaux, elle a sorti le poisson de l'eau et elle l'a amputé, en riant. Ça partait d'une bonne intention : elle voulait lui couper les cheveux ! On avait dû lui lire *Les Malheurs de Sophie*... Quand elle l'a remis dans son bocal, il a flotté à la surface, le ventre en l'air.

Elle a ri encore. Elle avait déjà découpé les ailes d'une guêpe. Plus tard, ce serait une reine de la dissection. À l'époque, elle avait des prédispositions.

Elle riait, je pleurais. Je n'ai pas eu envie de la frapper, de crier, de la dénoncer. J'étais juste effroyablement triste.

Je suis allé voir ma mère :

– Maman, j'ai du cha...

– Non, tu n'as rien du tout.

– Si, je le sais, j'ai du ch...

Je sanglotais ; ce n'était pas difficile de m'interrompre.

– Tu n'as rien. Dans notre famille, on n'a pas de chagrin. En tout cas, on ne le dit pas. C'est commun.

Dans sa bouche, commun, c'était vulgaire puissance douze.

Elle s'est agenouillée, elle a planté ses yeux dans les miens et elle m'a dit : « On n'a pas le droit d'avoir du chagrin pour des peccadilles à ton âge. Il y a dans le monde des millions d'enfants bien plus malheureux que toi. »

Elle m'a pris par la main, a empoigné celle de Catherine qui, pour le coup, ne riait plus du tout. Elle nous a conduits dans un magasin où on vendait des poissons rouges. Une quincaillerie je crois, non ce n'est pas possible au milieu des clous, en tout cas un lieu inattendu. Elle m'a demandé de choisir. Pour me consoler, j'ai pris le plus gros, d'un orange très marqué. Le vendeur nous a dit : « Ce ne sont pas les plus gros qui durent le plus longtemps. » Je n'en démordais pas. Après tout, c'était moi qui avais du chagrin, pas le monsieur à blouse grise.

Et puis, il s'est passé un événement tout à fait inconcevable pour une petite victime qui venait de recevoir pareil choc : ma mère s'est tournée vers ma sœur. « Choisis à ton tour. »

Je n'ai rien dit parce que je n'ai jamais su bien dire mais j'ai eu mon deuxième chagrin de la journée. Ce n'était pas juste, ce matin j'avais un poisson, elle l'avait tué, et elle se retrouvait récompensée de son crime.

Maman a dû voir que j'étais chamboulé :

– Comme ça, tu vois, si elle veut encore faire du mal à une petite bête sans défense, elle s'en prendra à son poisson, pas au tien.

C'était un étrange bon sens, je ne sais plus si ça a aidé à faire passer ma peine. Ce dont je me souviens c'est qu'on s'est retrouvés tous les deux sous nos petits manteaux dans le vent froid de février, avec chacun au bout d'un doigt un sac plastique rempli d'eau. Et dans le sac, un poisson. Ma sœur a dû se sentir morveuse : elle en avait pris un beaucoup plus maigre que le mien, beaucoup plus moche aussi ; il tirait sur le jaune.

Sur le chemin du retour, Maman m'a dit une drôle de phrase :

– Tu vois, dans la vie, tout peut se remplacer.

Non, Maman, tout ne se remplace pas. Et si j'ai attendu plus d'un demi-siècle pour te le dire, c'est que maintenant tu n'es plus là pour ergoter.

Ma mère est morte la semaine dernière et j'ai du chagrin. Un immense chagrin.

« Dans notre famille, me disais-tu, on ne fait pas étalage... » Comme si l'amour était un commerce, comme si l'affection s'affichait à l'étal, comme si dire était vendre, ou se vendre.

Dire, c'est offrir. Tous les secrets que j'ai reçus en confidence, je les ai vécus comme des cadeaux. Et tous les cadeaux que j'ai offerts, c'est aussi à moi qu'ils ont fait plaisir.

Était-ce une simple histoire de générations, comme tu le soutenais quand, enfin, nous avons pu parler de tout cela dans les dernières années de ta vie ? Était-ce ta naissance nantaise, donc bretonne, tes origines auvergnates solidement enracinées dans le Massif central ? C'est possible mais pas suffisant.

Tu étais dure au mal, incroyablement dure

jusqu'à la dernière heure, et pour tout cela je t'admirais et, pour tout cela, je te remercie aujourd'hui encore. Grâce à toi, je déteste à vie toute forme d'affaissement, d'abandon, de relâchement. Je n'aime pas les chouineurs, les petits garçons qui se réfugient dans les jupes de leur maman. Sauf moi aujourd'hui.

La plainte prolonge la souffrance, disait mon meilleur ami. Je n'ai pas eu trop de mal à suivre son précepte puisque, dès l'enfance, je n'ai pas eu le droit de geindre. Et quand on est interdit de plainte auprès de sa mère, vers qui se tourner ?

Papa ? Surtout pas. Il était si gentil, si douloureux aussi quand il nous parlait de son enfance amputée. Placé en nourrice à la campagne quelques jours après sa naissance, puis en pensionnat chez les faux frères à l'âge de sept ans… Et il faudrait qu'on aille l'encombrer de nos soucis d'enfants gâtés ?

Mes amis ? À l'époque, je n'en avais pas et, aujourd'hui encore, ils se comptent sur les doigts de la main. Alors il me restait ma petite personne. Une bonne bête à complainte, pour se complaire dans le rictus de la souffrance, face au miroir. Vas-y, fustige-toi, il adore ça. Dis-lui tes limites, cruelles, ton vide, abyssal. Pleure un bon coup sur ton sort, parce que, hélas, tu sais tout de tes insuffisances et que tes parents t'ont fait don d'une qualité dont tu te passerais bien : la lucidité.

« Never complain, never explain. » Maman n'avait rien de britannique mais elle se serait fait arracher un bras plutôt que de se lamenter. Jusqu'au bout, elle s'est tordue de douleur mais elle a gardé ça pour elle. Le lendemain de sa mort, sa femme de ménage a avoué à mon père qu'elle attendait qu'il parte faire les courses, pour crier et reconnaître, parfois d'un souffle, qu'elle souffrait mais qu'il ne fallait pas le répéter à son mari.

À sa fille, à ses deux fils, elle jouait la même comédie. Au téléphone, elle éludait, elle passait très vite à un autre sujet et, pour mettre fin à la conversation, elle raccrochait dans l'urgence, comme si le temps nous était compté, comme si l'horloge astronomique de nos dépenses astronomiques s'était mise en marche pour un simple coup de fil.

En fait, le temps nous était compté, bien sûr, mais pour d'autres raisons, et nous le pressentions plus que nous ne nous l'avouions.

Dans les dix dernières années de sa vie, alors qu'elle était encore en pleine forme, on a commencé à parler un tout petit peu plus longuement, un tout petit peu plus fréquemment. Ne nous décernons pas des prix de vertu : les appels téléphoniques sont passés de deux à quatre minutes… De mensuels, ils sont devenus hebdomadaires, et parfois bihebdomadaires ! On n'a jamais réussi à battre notre record du monde : trois coups de téléphone dans la semaine.

Tout ça, grâce à sœur Emmanuelle. Je m'étais lié à elle à l'issue d'un reportage que j'avais réalisé sur son bidonville au Caire. Lors de ma visite là-bas, il y a plus de trente ans, elle m'avait séduit par son optimisme, sa foi en l'homme, sa bonne humeur. J'avais fait le maximum pour l'aider de Paris et, à la mort de Solenn, elle avait été admirable. Depuis, elle gardait précieusement la photo de ma fille dans son livre de prières et, quand elle venait déjeuner ou dîner à la maison, elle récitait le bénédicité en ouvrant son missel à cette page.

Un jour, je lui avais présenté mes parents. Elle leur avait demandé si je les appelais souvent. Ils avaient dit la vérité, et la vérité semblait convenir à leur rythme affectif. Pour eux, pour Maman surtout, l'expression des sentiments se devait d'être rare.

Sinon ce n'est plus de l'amour, c'est de la rage, me disait-elle… Mais cette fréquence – une ou deux fois par mois – ne plaisait pas du tout à Emmanuelle. Elle m'avait morigéné : « Patrick, appelle plus souvent tes parents. Je vérifierai », avait-elle ajouté en me fixant de son doigt d'institutrice. Alors nous nous sommes appelés tous les samedis et, plus tard, dans les six derniers mois, tous les mercredis aussi. Et puis plus rien.

Elle n'aimait pas la déchéance, aucune sorte de déchéance. Elle m'avait averti : « Si jamais je commence à sucrer les fraises, allez ouste, bon débarras ! » Pas d'acharnement thérapeutique, pas d'hôpital non plus. L'hôpital, c'est pour les dépendants. Et Maman n'aimait rien de plus que son indépendance. Elle n'avait jamais rendu de comptes à personne, juste à sa conscience et c'était déjà bien assez compliqué à ses yeux. « Ne nous mélangeons pas », disait-elle parfois. Ne pas se dissoudre au milieu des autres, ne pas se fondre dans les autres, rester singulier.

Une ou deux fois, elle avait d'elle-même abordé le sujet devant ses enfants : « Si votre père disparaît avant moi, laissez-moi ici. Là est mon bonheur. Et si un jour je deviens handicapée, ne me mettez pas en maison de retraite ou en résidence. Cohabiter, ce n'est pas pour moi. »

Alors on biaisait, on passait à autre chose parce qu'on n'aime pas parler de la mort de ses parents. Ni devant eux, ni par-derrière. Un père, une mère, ça n'a pas le droit de mourir. C'est un rempart. Ça nous a protégés pendant l'enfance, ça nous a agacés à l'adolescence, mais c'est un mur qui ne peut pas tomber.

L'hôpital, la maladie, le handicap, la mort, je suis comme elle, je déteste en parler. Je ne supporte pas les conversations de ceux qui me détaillent leurs opérations, qui s'appesantissent sur leurs traitements. Un médicament, ça doit se cacher, c'est obscène, ce n'est pas fait pour traîner, même dans une salle de bains.

J'ai du mal à aller voir mes amis ou mes proches à l'hôpital. Je prends sur moi parce que j'imagine que ça peut leur faire plaisir mais je me bouche les narines, je suis imperméable à la souffrance qui sourd entre ces murs, tout cela a pour moi des relents d'agonie, des parfums d'antichambre de la morgue. Et je ne veux même pas savoir au juste de quoi ma mère est morte.

Face à l'hôpital, Maman a été admirable. Elle a résisté comme une petite chèvre, elle a contourné l'obstacle. Quand elle y a été admise pour la première fois de sa vie, l'hiver dernier, ses trois enfants ont bravé une tempête de neige, une autoroute fermée et un traître verglas dans la cour en pente douce de l'hôpital d'Elbeuf pour aller la sauver. Zorro, Zorette et Zoretto étaient prêts à la délivrer par la voie des airs et à la ramener chez elle. Elle a été stoïque, elle a tenu quatre jours ; le cinquième, elle était déjà de retour dans sa maison de porcelaine.

Le formol, les admonestations énergiques ou doucereuses des infirmières, très peu pour elle. Elle n'est même pas allée à la clinique pour accoucher. C'est une sage-femme qui s'est occupée de moi, puis de ma sœur. À domicile. Alors quand il s'est agi d'affronter le dernier bout de chemin, quand elle a bien vu que ça devenait inéluctable, elle a rusé. Elle a temporisé jusqu'à la dernière seconde.

La nuit ultime, celle du 15 au 16 juillet, elle a râlé de douleur sur son lit. Mon père dormait à l'étage, il s'est réveillé vers trois heures du matin, il est descendu la voir à tout hasard et il l'a vue se débattre avec l'extrême déchéance. Il m'a tout raconté le lendemain, je lui ai interdit de recommencer et même de se souvenir de ça : si peu de temps dans une longue et belle vie.

Le médecin est arrivé, puis l'ambulance. Elle est partie vers l'hôpital. En s'offrant un ultime coup de génie. Le soir de sa mort, j'ai consulté les papiers avec mon frère et j'ai lu cette inégalable prose administrative :

Bulletin de situation de personne

Admission 11H45

Départ 11H46 (DCD)

DCD. Oui, ils écrivent ça comme ça. Au fond, ce n'est pas plus moche. C'est déjà tellement dégueulasse, la mort.

Je me suis dit : on ne meurt pas en une minute à l'hôpital. Elle a dû mourir pendant le transfert. Et comme un décès en cours de route ne rentre pas dans les cases réglementaires – sur la route éventuellement, mais pas en mouvement –, ils ont dû constater sa mort à l'arrivée, essayer de la ranimer pour le principe avant de choisir cet horaire, celui qui deviendrait l'heure officielle de son départ vers le Grand Large.

Elle a bien joué et, où elle est, je la félicite : elle n'est pas morte à l'hôpital. Une fois de plus, elle a fait ce qu'elle a dit, elle est allée au bout de ses convictions.

Sur la route Andé-Elbeuf, entre chez elle et l'hôpital, là où elle a choisi de larguer les amarres, nous avons cheminé le lendemain à la queue leu leu, ma sœur, mon frère et moi. Papa était dans la première voiture, très digne au côté de sa fille. Il appréhendait pourtant le cérémonial qui nous attendait : dire un dernier adieu à ce corps qui n'était déjà plus notre mère.

Jusqu'au bout, j'avais reculé. Je hais tellement la mort, et les cadavres, et les cercueils, et tout ce rituel affreux, les musiques sirupeuses, les capitonnages, le choix du bois, de la plaque, de la croix, de la tombe, un catalogue tire-larmes, un modèle Harmonie ou Symphonie ou Brise d'automne. Comme s'il y avait une quelconque harmonie dans ce gigantesque remue-ménage, dans cet écroulement des êtres et des choses. Ils savent bien ça aux pompes funèbres, avec leurs formules mielleuses et leurs tarifs qu'on regarde à peine, parce qu'on est écroulé de douleur et bourrelé de remords : on ne va quand même pas lui prendre le cercueil le moins cher, on ne va pas chipoter sur les poignées en laiton, ni sur le coussin champagne, ni sur le vernis poli. Tout cet attirail inutile, qui pourrira à peine moins vite que le cadavre, qui finira au grand magasin des objets vains, comme un ultime témoignage très laid de notre présence sur terre, longtemps après notre mort.

Mon premier contact avec un cadavre remonte à quarante ans. Je sortais à peine de l'adolescence et je n'avais toujours pas vu de mort. C'était mon grand-père. Des personnages fantomatiques au nom épouvantable – thanatopracteurs – s'étaient agités dans sa chambre. Ils étaient repartis avec leurs appareils volumineux et on avait enfin eu le droit d'aller le voir sur son lit. Bien habillé, avec sa barbe bien taillée, et même une cravate, ça n'avait pas dû être facile de la nouer, il me paraissait plus petit. Je l'ai embrassé sur son front ivoire, il était glacial ; je n'ai plus jamais eu envie de recommencer avec un mort. Et, comme pour effacer ce dégoût pas très honorable, je me suis juré ce jour-là de relever son nom. Jean d'Arvor était son pseudonyme, il en était fier, j'en serais fier à mon tour.

Après mon grand-père maternel, il y eut sa femme que j'adorais, Marie. Je l'ai quand même embrassée pour qu'il n'y ait pas de jaloux. Et puis je l'aimais trop. Mais, une fois de plus, j'ai détesté ce contact avec la peau froide.

Ensuite, ce fut le tour de ma fille Tiphaine, qui n'avait même pas trois mois, puis de sa sœur cadette Solenn, qui n'avait même pas vingt ans. Quant à Garance, elle n'a même pas eu le temps de vivre, elle est morte peu avant l'accouchement. Et j'en ai eu assez de tous ces morts autour de moi, de cette danse macabre qui tambourine toutes les nuits dans mon crâne. Alors ma mère, je n'ai pas voulu l'embrasser au moment de l'adieu. Je n'ai pas pu tenir plus de quinze secondes dans la chambre mortuaire. On y était tous entrés, mon père et ses trois enfants. J'ai entendu l'un d'entre nous dire : « Ce n'est pas elle », et c'était vrai. C'était tellement peu elle que, de loin, je ne l'ai pas reconnue. Alors je me suis laissé glisser vers la sortie et je suis allé reprendre mon souffle dehors. Olivier m'a suivi peu après, puis Catherine, puis Papa.

Il est si gentil qu'il n'a pas pu s'empêcher de

discuter avec l'infirmière et le brancardier qui étaient présents, s'excusant du dérangement, un dimanche. Il nous a à peine dit qu'il était épouvantablement malheureux de voir ainsi pour la dernière fois le visage de celle avec laquelle il avait partagé soixante-cinq ans de sa vie. Il n'a même pas pleuré. Il savait qu'elle n'aurait pas aimé.

Bon d'accord, je ne l'ai pas embrassée pour lui dire adieu. Mais, elle, combien de fois nous a-t-elle embrassés ?

Il y a encore dix, quinze ans, je ne m'étais jamais posé la question. Olivier, un jour, l'a fait pour moi. Lui, le petit chouchou, le cadet de dix ans, celui qui suivit mes parents de Reims en Normandie et passa avec eux plus de temps que ses aînés, osait aborder le sujet tabou :

– T'a-t-elle jamais dit « Je t'aime » ?

– À vrai dire je ne sais pas, peut-être jamais, en effet, elle était pudique et, à l'époque, ça ne se faisait pas entre parents et enfants.

– Mais moi non plus, je n'y ai pas eu droit. Et pourtant j'avais dix ans en mai 68. Ça en a changé des choses dans ce domaine, 68…

– Au fond tu dois avoir raison, mais je ne m'en étais jamais aperçu. Ça n'a pas dû me manquer…

Et plus nous en parlions, plus nous nous apercevions qu'en fait, ça avait dû sacrément nous manquer. Ce rapport adolescent aux femmes, cette manière compulsive d'aller quérir de la tendresse auprès d'elles, ça venait bien de ça, non ? À dix ans de distance, les mêmes besoins alors que nous n'avons pas la même nature… Peut-être nous a-t-elle dit : « Je t'aime », peut-être même nous l'a-t-elle dit très souvent lors de notre prime enfance, mais elle avait l'amour discret. Et retenu.

Pareil avec les baisers.

Sans doute ne nous a-t-elle jamais embrassés. Baisers manqués.

Mon père aussi nous aimait follement mais, à l'exception notable des mois d'été, il n'était pas souvent à la maison. Toujours sur les routes à cause de son métier. Maman nous cajolait donc pour deux. Cajoler est d'ailleurs un bien grand mot car elle maniait tout autant la carotte que le bâton. Notre pauvre père, lui, était si bienveillant que l'idée même d'une gifle lui était insupportable. Et quand c'était nous qui le devenions, il nous menaçait au pire d'appeler notre mère en renfort. Notre mère qui, je le crois, avait un fouet dans la cuisine. On appelait ça un martinet. Je le crois mais je ne le jure pas : en tout cas je n'ai pas le souvenir qu'elle l'ait une seule fois utilisé.

Tout cela est très confus dans le cerveau d'un petit garçon. Bien des fantasmes, sans doute, un mélange d'attraction et de répulsion et le désir rentré de ne pas toucher à la mémoire sacrée d'une femme qui vous a porté si longtemps dans son ventre, qui vous a mis au monde et protégé de tout. Un jour, les digues naturelles de la vie ont cédé, elle a cessé de pouvoir faire rempart de son corps, et ce jour, pas si ancien, j'ai compris que je ne saurais jamais devenir tout à fait adulte car je ne serais pas capable de protéger pareillement mes propres enfants. Comme un tigre certes, comme une louve, non.

Une dernière fois quand même, elle a senti qu'il fallait me protéger contre moi-même, c'est-à-dire contre le pire de mes ennemis. Et pourtant, cette fois – c'était il y a six mois à peine –, ce n'était pas moi qui avais commencé ; on m'avait méchamment cherché. Je le raconterai peut-être.

En attendant, depuis le mitan de ma vie, j'ai tout fait pour la protéger, et avec elle mon père, parce que ces deux-là étaient inséparables et que blesser l'un, c'était tuer l'autre.

Plus que tout, il m'importait de ne pas les inquiéter. Face à toutes les tempêtes de ma vie, j'ai toujours cherché à les rassurer, à les entretenir dans l'idée, parfois vaine, que tout allait bien et que la surface paisible de leur monde ne serait pas troublée par la plus petite ridule. Une maman, même de loin, sent la fragilité de ses petits et, aussi pudique soit-elle, elle cherche à savoir. J'avais donc décidé de ne jamais l'affoler et de relativiser tout ce qui pouvait me survenir, comme tout ce qui arrivait à Catherine et Olivier.

Parfois, contre la force de l'évidence, je niais, je minimisais et, surtout, je tenais à ce qu'ils sachent qu'on s'entendait autant qu'on s'adorait. Il m'arrivait de leur faire croire que je venais de raccrocher avec mon frère ou ma sœur et qu'ils allaient bien, formidablement bien. Ils aimaient nous savoir proches et, quand l'orage s'annonçait pour l'un ou l'autre, nous nous rapprochions, maigre troupeau, pour faire front, et pour rendre nos parents heureux.

Les derniers temps, je parlais moins au téléphone avec mon frère et ça me chiffonnait. Il avait sa vie, un nouvel emploi et je n'étais pas non plus facile à aider. Pendant longtemps, j'ai joué le rôle du grand frère, normal : j'étais l'aîné, mais tout récemment, deux ou trois fois, il m'est arrivé de mettre genou à terre. Ces échanges m'ont manqué. Alors, quand la mort de notre mère nous est tombée dessus comme un boulet de canon ce samedi-là – je lui ai annoncé le début de l'agonie, le départ à l'hôpital et c'est lui qui, une heure plus tard, d'une voix courte et blanche sur mon répondeur, m'a signifié la fin –, nous avons repris nos appels pendant une semaine et nous nous sommes remis aux textos. Je n'ai pas oublié ceux que nous nous sommes adressés en allant à Elbeuf. Je n'ai pas non plus oublié les coups de téléphone si toniques et si prévenants de notre sœur, avant, pendant et après le départ de celle qui nous avait portés dans ses entrailles, puis à bout de bras.

J'ai encore du chagrin. J'ai dix ans et des poussières et un bébé s'annonce pour agrandir la famille. Jusque-là, pas de problème ; Catherine – quinze mois de moins que moi – est ravie, moi aussi : un petit jouet va agrémenter nos longues soirées d'hiver champenoises. Mais le bougre choisit de naître fin juillet. Alors, pour libérer Maman lors de son dernier mois de grossesse, les parents décident de nous envoyer pendant tout l'été en home d'enfants à Villard-de-Lans. Le ventre noué à l'approche des vacances – c'est la première fois que je vais être séparé de Maman, je ne l'ai jamais été, ne fût-ce qu'un jour –, je m'apprête à l'épreuve. C'en fut une.

Notre père nous a conduits à la montagne dans sa belle DS rutilante. Sitôt la voiture disparue au premier tournant, je fonds en larmes. Pendant tout cet été, je serai inconsolable, à peine distrait par les péripéties du Tour de France et par un coup de cœur pour une monitrice native d'Annonay...

Le soir, je pleure ; la nuit, je ne dors pas bien ; le matin, la douce blonde me passe la main dans les cheveux pour me réveiller et j'ai ma minute de bonheur. Après, ça se gâte, je n'arrive pas à sourire, je ne crois pas m'être fait un seul ami, un seul confident. Je me réfugie dans la lecture. Mes vrais alliés sont là, mes héros, mes amoureuses, mes compagnons d'infortune, de solitude, de tristesse, de délivrance aussi, d'évasion, mes bâtisseurs de mondes meilleurs. Revient alors le rituel du goûter – une pâte de fruits à la framboise, j'en garde encore le goût dans la bouche – puis les résultats du Tour, Anquetil, Nencini, Bahamontes, Charly Gaul, c'est lui qui finira par gagner, puis à nouveau ma mélancolie du soir, ma jolie monitrice qui regarde si gentiment ce petit garçon si triste, et la nuit qui s'avance avec sa grande cape pour étouffer les enfants sans maman, et ma mère qui me manque tant et tant.

Et ma mère qui me manque pareillement aujourd'hui.

Ma sœur elle aussi a sans doute été triste cet été-là dans les montagnes. On nous avait privés de Trégastel, des bains glacés avec nos maillots ridicules, des concours de châteaux de sable, du goémon gluant, des vives près des rochers, des odeurs de fougères mouillées, des lichens qui se réchauffent au soleil, des escapades sur l'île aux Lapins ou au château de Tonquédec. On nous avait surtout privés de parents.

Mais Catherine doit être plus forte que moi. Elle n'a rien montré de sa détresse, si détresse il y a eu. Elle a chanté, dansé, fait la folle, noué des amitiés, elle a été comme à son habitude plus exubérante, plus douée dans la relation à l'autre, et nous n'avons parlé de rien. Je veux bien être très sensible, mais j'ai ma dignité. Comme disait notre mère un peu sentencieusement : « Dans nos familles... »

Enfin, au soir d'un interminable mois de juillet, la directrice nous donna un télégramme. « Un petit frère est arrivé. Il s'appelle Olivier. C'est un bon gros garçon : 4 kg 2. Papa. » Diantre ! Cet Olivier-là nous était livré comme un chapon. 4 kg 2... Je retiendrai longtemps cette donnée anthropométrique pour le résumer. Un bébé de près de neuf livres, il paraît que ça concourt dans les foires...

J'avais été heureux de cette naissance annoncée, et voilà qu'on nous proposait un phénomène à servir pour les dîners de gala. Mais bon, on prend, on est content d'avoir un modèle réduit dans la famille, et surtout on est ravi de pouvoir enfin quitter la colonie, et de retrouver ses petits parents...

Catastrophe ! Ce n'était pas du tout le signal du départ, ce télégramme. Bien au contraire. Il fallait laisser le temps au bébé de prendre ses aises, et à Maman de se reposer. Il nous faudra encore attendre quatre longues et insupportables semaines au milieu de cet essaim d'enfants joyeux avant de pouvoir enfin regagner Reims et de découvrir ce benjamin qui nous aura gâché l'été.

Il ne me souvient pas que nous en ayons été

jaloux. Bien sûr, il devint rapidement le petit protégé de sa mère, l'objet majeur de ses attentions, mais nous étions assez grands pour savoir que cela relevait de la logique. Il ne me souvient pas non plus qu'Olivier ait ensuite bouleversé nos petites vies, nos habitudes d'enfants soudés. Mais j'ai aimé voir Maman retrouver une seconde jeunesse, pousser à nouveau un landau comme tant d'autres femmes plus jeunes qu'elle.

De toute façon, notre mère n'a jamais eu d'âge, comme sans doute toutes les mères de la terre aux yeux de leurs enfants. Sans nous concerter, Olivier et moi avons, depuis longtemps, installé dans nos appartements la même photo d'elle en noir et blanc, qui nous semblait prise au studio Harcourt, à son arrivée comme étudiante à Paris. Elle doit avoir à peine vingt ans. Une chevelure en cascade, un nez de conquérante, des lèvres de star, quelque chose entre Rita Hayworth et Greta Garbo, pas moins, voilà, c'est dit : on la trouvait sublime et on l'a trouvée sublime pendant très très longtemps.

C'était ma mère.

Je me souviens de ce coup de téléphone mortel à l'aube de ce samedi 16 juillet. J'étais chez moi, en Bretagne. Au bout du fil, de Vence, ma sœur : « C'est la fin. »

De celui que j'ai passé à mon tour à mon frère, à Avignon avec les politiques et les saltimbanques.

De ma longue prostration et des rideaux de pluie qui s'abattaient sur la porte-fenêtre ; de ce regard qui s'embuait à son tour et qui, pour une fois, bénissait les intempéries.

Je me souviens de ma courte hésitation. J'avais prévu de rejoindre mes camarades de *Carmen* en Vendée où nous devions jouer le soir. Il m'a fallu les prévenir pour d'ultimes indications de mise en scène avec mon amie Manon. Un violoncelle orphelin m'attendait là-bas.

Je me souviens d'avoir joué ce voyage aux dés dans ma tête. Il fallait que j'aille courir pour hurler dans le vent le long de la mer grise. Et que je me baigne face au château de Costaeres dans le chenal du port de Ploumanach. Au retour de ma course, je saurais quoi faire : vers le sud et mon opéra ou vers le nord et ma mère. Je perdais déjà le nord, je perdais déjà pied. Plus je courais, plus je me persuadais qu'en arrivant à la maison, j'apprendrais qu'elle nous avait quittés. Et lorsque je me suis mis à l'eau sous la pluie, j'ai eu l'absolue certitude qu'elle était en train de mourir à la seconde même. Il était midi moins le quart.

Je me souviens de mon retour, mouillé comme un chien. De la délicatesse de mon dernier fils, François, qui s'est approché de moi comme si de rien n'était et qui m'a serré dans ses bras en me murmurant : « Olivier vient de nous appeler. Elle est morte. » Il était midi.

Je me souviens de la prévenance affectueuse de mon aîné, Arnaud, qui était encore à Paris et qui a tout de suite voulu sauter dans sa voiture pour être le premier à soutenir mon pauvre père, et à l'aider de sa sollicitude.

De ses propres enfants qui étaient alors dans ma maison de Bretagne et qui m'ont remis un très beau dessin, signé de Joachim et inspiré par Jérémy. Un dessin pour dire qu'ils m'aimaient et pour me servir de viatique sur la route.

Je me souviens du long regard de tendresse de Véronique et d'une escale au cimetière où j'ai voulu annoncer à nos deux filles, Tiphaine et Solenn, que leur grand-mère venait de les rejoindre au ciel, ou quelque part, ou nulle part. Chaque fois que je perds un être cher, je crois un peu moins. Pourtant dieu sait qu'il y a des gens que ça aide, surtout en ces moments-là.

Je me souviens de leur avoir parlé, halluciné, sous la pluie. Je ne leur parle jamais, sinon intérieurement, je n'ai pas envie qu'on m'épie, qu'on m'écoute. Et je ne souhaite pas non plus ressembler aux vieillards qui font la conversation à leur chien, ou à leur femme disparue.

Je me souviens de ces six heures de route, entre essuie-glaces et bouchons. De cette vie qui redéfilait, la sienne bien sûr, mais aussi la mienne, très égoïstement.

De ce sentiment de ratage absolu, alors qu'elle semblait si fière de ce qu'elle appelait ma réussite dont elle parlait avec mesure, sans jamais se l'approprier.

Au téléphone, seul face à ce vide qui se creusait autour de moi, dans cet habitacle solitaire au milieu de la multitude, j'ai prévenu des gens que j'aimais, et qui méritaient que je le leur dise. Ou qui pourraient comprendre ma détresse. Il n'y en avait pas beaucoup. Sur le coup, j'ai mis ça sur le compte d'un nouvel échec de vie mais je me trompais : c'était juste pour me tordre un peu plus l'âme et je n'avais pas vraiment besoin de ça.

Avec mon frère, qui venait de monter dans un TGV à Avignon, on a beaucoup parlé de ces vacuités, de ces vanités qui vernissaient nos vies publiques et on ne s'est rien passé, plus férocement encore qu'à l'habitude. La mort de Maman nous renvoyait à ce sentiment récurrent d'inutilité sociale, d'agitation vaine. Bouger pour exister, pour oublier, courir pour fuir. Fuir quoi ? Cinq décennies pour lui, six pour moi, et même pas de réponse à ce déni existentiel. Et dire qu'on n'a jamais pu en parler à celle qui nous a mis au monde, et qui venait de le quitter ce matin même... On n'allait pas lui briser son beau rêve de mère : des enfants qui ont réussi, un ascenseur social qui ne se grippe pas, des paysans qui montent à la ville, des citadins qui montent à Paris... Mais Paris, sans toi Maman, c'est tout vide. Alors, ces six heures de voiture avec toi, bien installée à la place du mort, c'est le dernier cadeau que tu m'as fait, notre ultime échange.

Arrivé chez elle, chez eux, chez lui seul maintenant, j'étais presque fier d'être le premier de ses enfants à être accouru ventre à terre. J'avais été devancé par mon propre fils qui avait été admirable dans le rôle du saint-bernard auprès de mon père, deux heures seulement après le drame. Il l'avait aidé pour toutes les formalités administratives, l'hôpital, les pompes funèbres, les certificats les plus baroques que l'on exige d'êtres dévastés par la douleur, déboussolés par l'absence.

La solidarité familiale avait fonctionné au cœur d'un été où il arrive que des anciens s'effacent de la surface du monde dans une discrétion qui peut confiner au scandale, on l'avait vérifié lors de la canicule de 2003. Trois heures à peine après mon arrivée, c'est Olivier qui pointait son museau à

Andé. Je l'attendais dans le jardin comme le nouveau patriarche des lieux. Puis ce fut Catherine qui, pour rallier la Normandie, avait roulé pendant douze heures sans discontinuer dans sa résidence secondaire favorite : sa voiture.

Étrangement, le dîner qui précéda l'arrivée nocturne de ma sœur fut enjoué. Quatre hommes : mon père, mon fils, mon frère et moi. Quatre hommes et des confidences qui doivent le rester. Jamais Papa ne nous en avait tant dit. Jamais sans doute il ne nous le répétera, et c'est très bien comme ça. Mais j'ai adoré ce moment de partage, ces secrets offerts aux siens.

Et puis, comme un remords, en boucle, le dernier regret d'un homme profondément bon : avoir secoué son épouse qui était en train de sombrer : « Mais aide-moi, Madeleine ! » Il s'était persuadé que ses dernières paroles seraient les seules qu'elle retiendrait d'une union de deux tiers de siècle… « Quand même, je n'aurais pas dû, vu l'état dans lequel elle était ! » Alors, épuisé, au petit matin, il s'était assoupi dans un fauteuil et, réveillé par un râle plus fort qu'un autre, il avait enfin appelé le médecin : il avait eu peur de le réveiller de trop bonne heure…

Voilà mon père : un être magnifiquement attentif aux autres, avec toujours la crainte de gêner, de blesser, de s'imposer. Avec aussi une constance dans la fidélité, y compris aux plus critiquables des humains. Ma mère était beaucoup plus tranchante et, la plupart du temps, sans indulgence. Elle avait aimé le Général, il avait défendu le Maréchal, tout en menant une guerre courageuse. Ils s'étaient à ce point chamaillés sur le sujet que, contre toute attente, c'est ma mère qui avait un jour décrété l'armistice : « N'en parlons plus. » Elle n'en avait plus jamais parlé, au contraire de Papa, révulsé par le sort réservé à ceux que l'histoire a condamnés. Ses enfants, ses petits-enfants se moquaient de lui, le battaient froid parfois à cette évocation, mais il n'en avait cure. Bec et ongles, il défendait toujours les réprouvés, de quelque bord fussent-ils.

À minuit, au terme de la pire journée de sa vie, il alla se coucher. Pour se réveiller deux heures plus tard quand arriva notre sœur. Entre-temps, Arnaud était parti et, avec Olivier, nous avions musardé. Nous nous étions longuement attardés dans cette chambre où une femme avait souffert jusqu'au matin, et cette femme était notre mère, et cette mère était morte. Et Dieu n'était pas là puisqu'Il l'avait laissée partir loin de nous.

Comme les chenapans que nous étions petits, nous avions fouillé en attendant Catherine, dans l'espoir inavoué de la découverte d'un secret de famille. Il y en avait tant chez nous et nous adorions les débusquer. C'est ainsi que, pour l'écriture de notre premier livre commun, *Le Roman de Virginie*, devenu plus tard *Frères et sœur* dans sa nouvelle version, Olivier et moi avons mis au jour une bizarrerie familiale : lors de leur mariage en décembre 1946 à l'église Saint-Jacques, aucun de leurs parents n'était marié. À l'époque, ça ne faisait pas bon genre.

Notre grand-mère paternelle était divorcée, et l'aviateur que nous prenions pour grand-père n'était que son amant. Côté maternel, ce n'était guère mieux. Notre grand-père, le poète Jean d'Arvor, n'avait pas encore épousé notre bonne grand-mère Marie Nore, ce qu'ignorait ma mère ! Ce qu'elle ne savait pas non plus, c'est que son père avait été marié et qu'il avait eu une fille de cette union. Et voilà Maman, à peine mariée, affublée d'une demi-sœur qu'elle ne vit jamais et qui ne se manifesta à aucun moment, pas même lors de la mort de ma mère. Sans doute avait-elle disparu depuis longtemps...

Nous n'avons trouvé aucun autre secret cette nuit-là. Un instant, Olivier crut déceler une trace suspecte dans le livret de famille : une rature douteuse, mais ce n'était qu'une fausse alerte. En revanche, nous avons mis la main sur un joli trésor : le journal de notre mère, et ce que nous y avons découvert, nous tira les larmes des yeux. Entre deux citations de lectures, elle évoque les doutes d'une âme jamais en repos.

Dans son journal :

Pauvres morts... Il ne reste d'eux que des traits terriblement simples. Ils gardent la pose in aeternum dans l'album à photos. Ils demeurent prisonniers de deux ou trois souvenirs des leurs, parfois faux. Il n'y a que ceux qui les ont réellement aimés qui puissent, quelques années après leur départ, les revoir dans leur diversité. Quand notre vie s'est mêlée à la leur, nous retrouvons en nous leurs aspects changeants et multiples, nous les retrouvons dans nos propres esprits et, croyant nous souvenir d'eux, c'est la part de nous-même, indissolublement liée à ceux que nous reconnaissons.

Il est des natures que l'échec n'abaisse pas et qui savent survivre parce que le poids d'un échec, s'il oppresse leur gorge, n'écrase pas leur cœur. Nos défaillances ne sont que des pannes provisoires, inhérentes à l'ordre humain. Rien ne meurt jamais vraiment ; un cri de nouveau se fait entendre : le chant de l'oiseau et le cri de l'enfant.

Et puis Goethe :

Les arbres les plus vieux ont
les fruits les plus doux.

Plus loin, je lis encore :

La vieillesse ? Une absence qui est déjà la mort. Une fois encore, je me regarde dans le miroir, me reconnais à peine ; où est l'enfant pur, étonné, qui attendait tant de la vie, des autres qu'il a aimés si fort et qui si fort l'ont déçu ! Le passage terrestre si bref, incompréhensible, que nul philosophe, nulle religion n'expliquera jamais.

Voilà Nina Berberova :

Pourquoi vouloir se retrouver dans l'autre monde ? Déjà en bas au bout de quelques années, on n'a plus envie de se revoir. Les années passent et les gens n'ont plus rien à se dire.

Et un poème de Maman, qui marchait sur les traces de son père :

Mon jardin va fleurir, la brise qui l'agite me fait me souvenir.
Vos visages pâlis tout à coup se ravivent.
Je n'ai gardé de vous que d'heureuses pensées.
Tout le reste, effacé, n'est que fécondité.

Nous l'utiliserons pour l'annonce de son décès.
Enfin, ce texte lu par ma sœur à l'église :

Nous avons tous à un certain âge l'espoir d'une fin digne. Mal finir reste un risque constant que nous devons accepter. Comme le loup de Vigny, nous souhaitons mourir sans nous plaindre.

Pour avoir jusqu'au bout tous ces courages, il nous faudrait la Grâce. Nous sommes tous de pauvres êtres.

Ai-je fait tout ce que je pouvais de ce qui m'a été donné par la naissance et par la vie ?

Ai-je utilisé tous les moyens physiques et intellectuels qui me furent dévolus ? J'ai souvent eu peur et manqué de « foi ». Ainsi va la vie, nous n'y sommes pas pour grand-chose mais tout de même...

Ce journal intime dit beaucoup d'elle, la secrète, bien trop fière pour montrer ses mots aux autres, ce qu'a fait son père en les publiant, ce que firent ses deux fils et sa fille : une centaine de livres à nous trois ! Trop fière et trop modeste à la fois : brouiller les pistes en truffant ses propres pensées de réflexions de grands auteurs, en se cachant derrière les mots des autres.

Se draper dans sa dignité, disait-elle souvent en relevant sur son épaule une cape qui évoquait bien ce drapé.

Digne et muette. Une femme emmurée.

Je n'ai pas aimé l'enterrement de Maman. Non pas parce qu'on l'avait clouée entre quatre planches, qu'on la descendait au fond d'un grand trou et qu'on ne la reverrait jamais, mais parce ce qu'à l'église, ça a manqué de beauté, de grandeur ou de simplicité, je ne sais pas. C'était de l'entre-deux, du classique, du conventionnel. Je n'ai pas ressenti de frissons. C'était ma mère pourtant, à ma droite dans l'allée.

Quelqu'un a pris des photos sur l'autel, et je n'ai pas aimé ; dehors trois paparazzis s'étaient cachés tant bien que mal, et je n'ai pas aimé. Notre sœur, qui a la chance d'être très croyante, avait pris les choses en main, du mieux possible, mais le prêtre qu'elle avait chargé de la cérémonie ne connaissait pas notre mère et a dû se contenter de formules vagues et vaines pour qui ne croit pas. C'était son cas à elle et, si elle nous avait fait baptiser, si elle nous avait envoyés très consciencieusement tous les dimanches à la messe de onze heures à l'église Saint-Jacques, là où elle s'était mariée et là où on l'enterrait ce 20 juillet, elle ne nous avait jamais caché son profond scepticisme. Sans être athée, elle était agnostique.

Mon père, élevé chez les eudistes, mais pas trop rancunier de quelques sévices, avait davantage envie de croire mais, dans ce domaine comme dans d'autres, il voulait faire confiance à sa femme, et lui faire plaisir. Il était droit comme un i, à côté du cercueil qu'il a évité de regarder. Sur sa gauche, ses deux fils puis la maire de Reims, dont la délicatesse nous a honorés. De l'autre côté de l'allée, Catherine et ses deux enfants, Marina, qui avait sauté dans le premier avion de Washington, et Emmanuel, qui arrivait de Toulouse. Puis Véronique et tous nos enfants, affectueux, affectés. Eux aussi étaient venus de partout pour reconstituer la tribu des heures difficiles.

Nous nous étions fixé rendez-vous dans un snack pas très romantique, qui avait l'avantage de donner sur l'entrée de l'église ; j'ai placé notre père de telle manière qu'il n'a rien vu des préparatifs de la messe et de l'arrivée du corbillard.

La meilleure amie de ma mère, ma marraine, était représentée par sa fille, elle-même filleule de Maman. Mon ami Dominique était là, toujours dans les coups durs comme dans les moments heureux. Philippe lui aussi avait fait le voyage. En le voyant, je n'ai pu m'empêcher de penser au si beau film de Patrice Chéreau : *Ceux qui m'aiment prendront le train*. Tout le monde s'y retrouve pour une inhumation à Limoges. Des destins contraires, mais le même désir d'être présent, pour un dernier adieu à l'absent, et surtout pour faire le point avec soi. Et comme je voyageais au pays du cinéma, je fus très touché aussi par l'arrivée de deux comparses, Jean-Baptiste et Hugues, les producteurs du film dont je venais tout juste d'achever le tournage. Comme par la présence de ma fidèle Marie-Hélène, de Véronique, la femme d'Éric, le meilleur ami d'Olivier, parti lui aussi beaucoup trop tôt au paradis des belles images, et de Carl, l'éditeur de nos livres de mer, le seul à représenter une profession bien absente dans les heures chahutées.

On devient mesquin à force de compter. Qui est là ? Qui n'est pas là ? Nous avions fait paraître une annonce dans *Le Monde* et *Le Figaro*, pas tant pour Maman qui se fichait sans doute de ça, les immenses douleurs, les regrets éternels, les ni-fleurs ni-couronnes, les dons à la recherche, les familles recomposées ou explosées... Sans compter les années qui s'égrènent à ce point qu'on en rajoute, puisqu'aujourd'hui on ne meurt plus à 86 ans mais dans sa 87e année... Pas tant pour elle, donc, mais pour rameuter les amis oubliés, les bonnes âmes auxquelles la nouvelle causera un pincement au cœur, renouer les liens effilochés.

Il nous arriva du courrier convenu, mais très peu, à vrai dire, et beaucoup de lettres sincères. La plupart émanaient de camarades dans la force de l'âge qui venaient eux aussi de perdre leur mère, ou qui ne s'en étaient pas vraiment remis.

D'autres m'ont fait défaut et je leur en veux, parce que c'était ma mère et que son absence me dévaste. J'ai eu envie de le leur faire savoir mais puisqu'ils ne m'avaient pas écrit, ils ne méritaient pas ma lettre.

C'est affreux ce qu'on peut devenir rancunier en une circonstance où l'on ne devrait penser qu'à l'absente. Les églises sont là pour nous ramener à la générosité, à la tolérance, à la charité, mais je ne pouvais m'empêcher d'imaginer ce que m'aurait dit Maman, plus sceptique que moi sur la nature humaine, plus lucide aussi.

Enfants et petits-enfants se sont succédé devant l'autel pour rendre hommage à l'aïeule qui les écoutait dans sa petite boîte et lorsqu'Olivier vit les employés des pompes funèbres se saisir des poignées de son cercueil, il me souffla à l'oreille : « C'est à nous de le faire. »

C'est ainsi que nous nous retrouvâmes une dernière fois avec Maman sur le dos. Mais cette fois-ci, ce n'était pas pour nous gronder.

Le dernier adieu au cimetière fut plus conforme à ce que nous attendions de cette journée que j'appréhendais. Une pagaille sympathique, des portables qui sonnent dans les allées parce qu'il y a toujours des retardataires, un courroux légitime de mon père furieux du déplacement du gisant de l'abbé Miroy, pour cause de vandalisme, ma sœur qui improvise un chant incongru mais très beau, mon frère qui ne peut terminer son petit laïus, étranglé dans son gosier... Le mien se voulait plus décalé parce que je venais de m'apercevoir que les parents de ma mère se retrouvaient une fois de plus, quarante ans après leur disparition, sous leur fille. Nous avions en effet passé de longues années au 4e étage du 22 de la rue de

Talleyrand, juste au-dessus de l'appartement de mes grands-parents.

Ces marches qui nous séparaient, je les ai si souvent empruntées pour aller traîner dans la cuisine de cette grand-mère gâteau qui sentait bon comme ses plats à l'ancienne. Je m'y faisais réconforter, ou prêter en cachette *L'Union*, le quotidien local, parce que ma mère m'interdisait sa lecture. Elle craignait sans doute que ma jeune âme ne soit pervertie par les horreurs de ce bas monde. Raté, Maman, ce sont peut-être ces heures volées qui déterminèrent plus tard le choix de ma profession.

Je descendais plus rarement pour aller voir mon grand-père parce que son bureau, comme son allure sévère, m'impressionnait terriblement. Ma chambre était située juste au-dessus et quand je faisais un peu trop de bruit – ce qui ne devait pas arriver bien souvent vu mes dispositions mélancoliques –, j'avais le droit à un coup de canne énergique contre les canalisations du chauffage central...

Pourtant j'aimais cette incursion dans l'univers de l'écriture. Mon grand-père était poète et inondait de ses textes académies littéraires et jeux floraux. Il en tirait nombre de médailles – or, vermeil, argent, bronze –, diplômes et autres distinctions. Plus tard, beaucoup plus tard, j'appris fortuitement que, sous ce même nom de Jean d'Arvor, il avait publié quelques textes licencieux dans des revues érotiques. J'en ai retrouvé deux et offert une à mon frère...

Ce qui m'écrasait dès que j'entrais dans son bureau, c'étaient les centaines de livres reliés qui tapissaient la pièce. J'en découvrais d'abord le dos, puis le titre et enfin le contenu quand mon grand-père m'autorisait à les feuilleter. Je n'avais pas le droit de les lire hors de sa présence, et encore moins celui de les emprunter pour les apporter chez moi, à quelques mètres de sa tête.

Ces livres, il les avait reliés lui-même pour la plupart puisque tel était le métier auquel il avait été formé après avoir été obligé de travailler très tôt, dès l'âge de douze ans. Il n'avait pas de père à la naissance et plus de mère deux ans après ; elle était morte de la fièvre jaune à Rio de Janeiro. Recueilli par une grand-mère acariâtre, il s'était enfui avant même l'adolescence. Pour subsister, il avait travaillé les peaux de bêtes, le corroyage, puis le cuir et enfin la reliure des livres de prix. Ne sachant alors ni lire ni écrire, il avait pris des cours du soir et pu enfin goûter ce qui se nichait derrière ces couvertures gravées à l'or fin.

Maman m'avait présenté une version rectifiée de cette enfance à la Hector Malot ; elle tenait à ce que je sache que son père était très bon en classe et cumulait les tableaux d'honneur et les félicitations des professeurs. C'était sans doute pour me pousser à l'excellence… Il n'empêche que j'admirais encore davantage cette trajectoire d'un petit paysan qui, à la force du poignet, était monté à Montluçon, puis à Clermont-Ferrand avant de fonder un comptoir du caoutchouc à Nantes et à Reims.

Elle m'avait été très reconnaissante d'avoir contribué à faire découvrir l'œuvre de son père. J'avais glissé un de ses quatrains dans mon anthologie de mes poèmes préférés, je l'avais aussi haussé au rang des gloires rémoises – il a désormais sa rue, assez moche d'ailleurs, dans un faubourg mité de centres commerciaux –, et tout récemment, grâce à la complicité de mon ami Luciano, j'avais pu faire éditer un deuxième recueil de ses poèmes : *L'Appel ardent de Jean d'Arvor*. Je crois que ce fut l'une des toutes dernières joies de ma mère et je suis heureux d'avoir hâté cette publication, mû par une urgence que je pressentais.

Cet après-midi du 20 juillet, la boucle se bouclait donc. Maman rejoignait ses parents, à l'étage du dessus. Et Papa, perdu avec sa rose qu'il jetait dans la fosse, lui cria :

« J'espère te rejoindre très vite ! »

Juste après l'enterrement, nous avons essayé de distraire mon père en l'emmenant rue Jean-d'Arvor, à la Neuvillette. Pas de chance ils avaient changé les plaques et notre rue *Jean d'Arvor, poète*, sur fond bleu, s'était affublée d'un panneau rose, plutôt laid ; le mot poète avait disparu. Comme la profession de Serge Bazelaire, qui a donné son nom à la rue voisine, et qui était le père de mon seul ami de classe à l'école primaire, François, mort très jeune dans un accident de voiture.

Je repense à lui instantanément, et à son destin d'adolescent fauché par le destin. Pourquoi m'étais-je attaché à lui, et surtout pourquoi s'était-il entiché de moi, alors que j'étais la sauvagerie incarnée et que je n'approchais de personne ? Il était très beau et très blond, je crois que nous avions joué ensemble sur scène dans une comédie musicale où j'étais transformé en champignon, et lui en coccinelle, à moins que ce ne soit l'inverse...

Une fois de plus, je reviens à ma mère. Elle m'avait bouleversé quand elle m'avait raconté que, deux fois par jour, aux heures de récréation, elle montait au grenier de notre maison de la rue Clovis pour regarder ce qui se passait dans la cour de l'école Libergier. Le rite était immuable : tout le monde jouait, ou se bagarrait, sauf son Patrick qui, à l'en croire, faisait tristement rouler sa voiture Dinky Toys le long des quatre murs de la grande cour grise. Il paraît que Maman redescendait chez elle, l'estomac noué. Ma première photo de classe disait déjà tout ça : le tablier gris du Petit Chose, les cheveux bouclés du petit mouton, les oreilles décollées du petit loup..., et cet air triste et doux en effet. Pour moi, ma mère restera toujours ce regard-là, ce regard sur moi, sur la première chair de sa chair. Plus tard, beaucoup plus tard, quand j'ai pu à mon tour poser le même regard sur elle, j'ai su que je lui devais à mon tour assistance.

Heureusement, à l'école, il y avait Mme Ravasson ; elle m'a sauvé la vie. C'était l'institutrice de 11e, plutôt sévère et, dans mes souvenirs d'enfant, assez âgée. Or elle n'est morte que récemment, la pauvre. Elle devait avoir un cœur d'or derrière sa carapace revêche, car, mois après mois, elle me mettait la meilleure note de la classe et, à la fin de l'année scolaire, elle me fit directement passer en 9e. C'est peut-être elle qui, la première, me donna confiance en moi (tout en gâchant mon été parce que je craignais de ne pas être à la hauteur après avoir sauté une classe).

Non. La première, encore une fois, ce fut Maman. Je ne peux oublier mon extrême timidité et les compliments qui pleuvaient sur ma jeune sœur, plus avenante, plus pimpante, plus drôle, plus bavarde... Les invités de mes parents la couvraient de louanges, tout en m'observant d'un air dubitatif : « Que va-t-on bien pouvoir faire de ce garçon si renfermé, toujours dans la lune ? »

Ma maîtresse de maternelle, sœur Marie Magdeleine, qui avait un gros nez rouge et l'intuition d'un bulot, avait été plus explicite devant ma mère – c'est du moins ce qui me fut rapporté plus tard mais j'ai l'impression que mon cerveau d'enfant l'avait imprimé : « Catherine est formidable, elle ira loin, mais je suis plus inquiète pour son frère. » Pour cette seule phrase si encourageante, toute bonne sœur qu'elle est, j'espère qu'elle n'est pas allée tout de suite au paradis...

Maman m'avait défendu comme une poule peut le faire avec un poussin boiteux, elle croyait en moi et j'ai depuis tout fait pour ne jamais la décevoir. À présent, c'est elle qui me déçoit. Elle n'aurait pas dû partir si vite, j'avais encore besoin d'elle.

Je me souviens encore. De mes goûters en revenant de classe avec du chocolat chaud et de la brioche. De l'odeur de la pâte à crêpes qu'elle laissait reposer sur un radiateur, après y avoir laissé couler quelques gouttes de rhum Negrita, des vol-au-vent et des gâteaux de pommes de terre que nous faisait ma grand-mère Marie. De nos affrontements à propos de mon autre grand-mère Gabrielle, dite Yella, qu'elle n'aimait pas : la belle-mère avait pris sa bru de haut, elle avait espéré pour son fils un mariage plus prestigieux ou plus mondain. Et, surtout, devait-elle symboliser aux yeux de Maman la vie facile de la Côte d'Azur, ses palmiers et ses glaces chez Queenie, ses thés au Negresco, le marché aux fleurs du cours Saleya, cette fleur d'oranger que j'avais rapportée comme un trésor enchanté de mon premier séjour azuréen vers l'âge de dix ans, bien à l'abri dans sa bouteille bleue inaccessible qu'un demi-siècle plus tard, je n'ai toujours pas osé ouvrir.

Parfum envolé, éventé sans doute, qui me titille les narines aujourd'hui encore comme celui d'un monde englouti, à jamais révolu, celui de l'innocence de l'enfance. Parfum de ces madeleines qui, chez Proust, n'étaient que des biscottes mais qui, dans l'inconscient de nos petites âmes infantiles, étaient devenues madeleines. Comme celles de Commercy que mon père nous achetait lors de ses tournées de représentant dans la Meuse et que, plus tard, des téléspectateurs m'envoyèrent, à commencer par la bonne Bernadette de la pointe du Cap-Ferret. Madeleine comme le prénom maternel, ce qui me vaut depuis trente ans un petit déjeuner frugal : une madeleine et une tasse de café.

Parfum dissipé sans nul doute, comme celui d'une bonne bouteille depuis trop longtemps débouchée. Passé comme le passé qui plus jamais ne sera, ce qui me met en rage car j'ai, fichée dans mon cœur, la nostalgie en seconde nature, la première étant heureusement composée d'un mélange d'hyperactivité et de recherche vitale de passion, toutes sortes de passions. Cette phrase de Lampedusa, à la fin du *Guépard*, serine à mes oreilles : *Si nous voulons que tout reste tel que c'est, il faut que tout change.*

Tout me file entre les doigts, les êtres, les souvenirs, l'amour, l'ambition, les racines. Et maintenant Maman, qui m'a si longtemps tenu par la main et que je n'ai pas su retenir au seuil de son dernier voyage.

Bien sûr nous eûmes des orages... Mais de tout petits orages. La première fois que je lui tins tête, ce fut assez tard, à douze ans peut-être. Elle m'avait accusé d'avoir forcé la serrure d'une armoire qui m'avait depuis longtemps semblé mystérieuse et qui était toujours fermée à clé. Il s'avéra bien après qu'elle contenait quelques livres à ne pas mettre entre les mains de tous les enfants...

L'accusation m'avait paru ignominieuse, un peu comme si j'avais été renvoyé en correctionnelle pour un délit majeur. Cinquante ans après, elle est encore gravée en moi au fer rouge. Or je le jure ici, je n'avais rien fait de mal. J'ai commis bien des bêtises mais pas celle-là. Pourtant, à force de ressasser l'affaire, j'avais fini par me demander si, au fond, je n'avais finalement pas quelque chose à me reprocher. Je comprends aujourd'hui les innocents qui, par lassitude, avouent des crimes imaginaires. C'est dire si, dans ma tête, l'histoire avait pris des proportions invraisemblables !

Ma mère avait rassemblé des indices. Et notamment deux ou trois poussières de sciure qui pouvaient laisser supposer que l'armoire avait été forcée. La vigueur de ses attaques m'avait stupéfié. J'avais répondu sur le même ton et, pour la première fois, je m'étais aperçu qu'il y avait aussi en moi une violence, qui me venait sans doute de ma mère et de son père, et qui explosait lorsqu'il y avait injustice. Plus tard, je le vérifierai, souvent à mes dépens.

Ce qui me sidérait, et m'atterrait tout à la fois, c'était que cette force brutale s'exerçait contre ma propre mère ; pour un enfant, bien sûr, c'était monstrueux. Elle avait tenté de me gifler, j'avais paré le coup, et je pense qu'elle s'était fait mal au bras. La douleur qu'elle avait ressentie avait redoublé sa colère. Pendant longtemps, cette affaire avait fait obstacle entre nous. Elle avait soudainement mesuré ma force tapie et j'avais été effaré d'avoir pu lever la main, même en réaction, sur ma mère.

Ma sœur m'avait aidé en cette occasion, en prenant ma défense. Elle le refit plus tard, en s'accusant d'un bris de vase que j'avais maltraité en jouant au football. Ma mère ne fut pas dupe. Puis elle finit par comprendre, à défaut de tolérer, mes longues fugues en Vélosolex lorsque je fus en âge d'en avoir un, à quatorze ans. Je séchais de plus en plus souvent les cours pour de longues stations à la bibliothèque Carnegie, ou vers une autre forme d'évasion, à l'aéroport de Reims-Prunay.

J'y voyais décoller des coucous, ou des appareils plus majestueux, vers des destinations inconnues, qui me faisaient rêver. De ces jours, data sans doute mon désir définitif d'envol. Les livres m'avaient déjà permis de voyager, d'emprunter les tuniques de mes héros, ceux que j'avais débusqués chez le soldeur du trottoir d'en face, passage Subé. Grâce à eux, j'avais parcouru tous les continents, franchi tous les océans, découvert toutes les gradations de l'amour, du coup de foudre à la jalousie mortifère, exploré les moindres recoins des grandeurs et des bassesses humaines. J'avais lu plus qu'il n'était permis à un enfant de cet âge... J'avais englouti des livres que je comprenais partiellement, mais qui, plus tard, régurgitèrent en flots pour m'aider à supporter le monde.

Maman observait du coin de l'œil cette soudaine mutation de la chrysalide devenue papillon. Elle voyait son petit garçon lui échapper mais jamais elle ne tenta de me retenir, même lorsque, le bac en poche, je voulus tenter ma chance à Strasbourg puis à Paris. J'avais alors à peine seize ans mais elle me laissa m'envoler.

Deux ans plus tôt, j'avais décelé dans son regard une lueur d'admiration quand j'avais osé lui avouer mon raid fou entre Reims et Charleville, à cheval sur mon petit Solex noir pendant six heures, juste pour aller chercher l'inspiration sur la tombe de mon idole, Arthur Rimbaud. Je crois alors qu'elle s'appropriait ma soif de liberté, et qu'elle vivait ses rêves d'adolescente par procuration.

J'en eus la confirmation un peu plus tard lorsque mon père lui offrit une deux-chevaux verte qui lui permit de caracoler, seule ou avec ses trois enfants, dans les environs de Reims. Elle affectionnait un lieu pompeusement dénommé montagne de Reims (altitude : 80 m !) ainsi que les bords de la Vesle, cette toute petite rivière qui traversait notre métropole régionale. Dès que les beaux jours revenaient, elle nous embarquait dans son carrosse avec un pique-nique immuablement composé de salade de riz, de taboulé et de rillettes et nous allions nager non loin de la ville dans une eau qui sentait l'herbe fraîche. Pour moi, en proie à mes premiers émois d'adolescent, c'était l'odeur de ma mère. Ma mère que je n'ai jamais vue nue, ou en tenue légère…

Mais de toutes ses destinations favorites, la plus récurrente était le parc Pommery, où elle nous emmenait presque tous les jeudis, les samedis et les dimanches. Elle y était la reine, les messieurs la courtisaient en sortant du tennis mais la présence de ses enfants, surtout moi, le chien de garde, jaloux sans me l'avouer, les dissuadait d'aller trop loin. Un jour, un honorable vieillard – que je prenais comme tel alors qu'il devait avoisiner les soixante ans – tomba par mégarde sur mon père, qui ne s'y rendait qu'exceptionnellement, et lui dit pour le rassurer : « Avec moi, vous ne risquez rien, cher monsieur, j'ai perdu mes bijoux de famille à la guerre de 14 ! »

C'est en ce lieu, qui fut pour moi magique, que j'ai eu l'idée d'honorer la mémoire de notre mère en emmenant toute ma petite famille, père, frère, sœur, enfants, au terme de cette sinistre journée d'enterrement, communier dans la verdure aux portes de Reims. Mais tout avait changé comme dans *Le Guépard.* Le parc Pommery avait été rebaptisé parc de Champagne, le gazon s'était raréfié, les pistes en cendrée n'étaient plus entretenues, la piscine avait été comblée, les tennis avaient disparu. On était loin du *Jardin des Finzi Contini* et des jeunes filles en fleurs que je croisais jupette au vent et raquette sous le bras, à la naissance de leurs seins qui m'étaient alors interdits.

Nous étions là, éparpillés comme des malheureux face à des transats tout aussi miséreux sous une fière banderole « Opération Reims Plage », mais la plage n'avait de plage que le nom, le sable s'était dispersé faute d'estivants, et ce qui me filait alors entre les doigts ressemblait terriblement, encore une fois, à ce sable qui toujours a recouvert les heures glorieuses de ma vie, et que j'ai emprisonné dans une impressionnante collection de centaines de bocaux entreposés dans ma petite chaumière bretonne. Au sable que nous sommes tous appelés à devenir, ou redevenir, comme les rochers les plus farouches dans le désert.

Ai-je eu une enfance heureuse ? Du vivant de Maman, j'ai toujours éludé la réponse, ou contourné, ou même un peu menti. J'avais trop peur de la blesser. Parce qu'elle m'a aimé très fort, comme ma sœur, comme plus tard mon frère. Et ce n'est pas l'absence de démonstrations d'affection qui m'a perturbé. Elle était comme ça. De la même manière que mon père était très tactile, adorant les câlins, les bisous dans le cou, là où la racine de ses cheveux sentait bon l'eau de Cologne Roger & Gallet.

Mais une enfance aimée n'est pas forcément une enfance heureuse. Depuis mon plus jeune âge, j'ai eu l'impression de marcher avec un caillou dans ma chaussure, de marcher comme un crabe, de travers, à reculons. Je suis né avec ce mal-être, ma mère n'y est pour rien. Son père, la trentaine venue, avait traversé une période suicidaire et quand, un peu par hasard, j'avais découvert ses lettres de l'époque, j'en avais été bouleversé.

Octobre 1916

Mercredi 4 heures

Mon ami,

Je m'ennuie mortellement ; ce temps pluvieux, ce vent, ce ciel sombre, préludes d'automne, m'attristent profondément.

Une terreur ambiante, un désolement vous prend et c'est ce qui aujourd'hui me terrasse ! Vous savez trop l'aspect intérieur de mon âme pour ne pas deviner combien sont tristes les heures que je passe dans ma solitude.

Je n'ai pas la force de vivre, pas le courage de mourir ! Je ne puis espérer voir mieux ni croire à la vie lointaine d'ailleurs. Pourquoi vivre alors, pourquoi mourir ? Et quoi faire, quoi répondre devant cette double désespérance !

Singulier état d'équilibre que celui d'une telle existence qui ne voudrait pas se prolonger et qui a horreur de finir !

Rien n'est joie, nul lien n'est bonheur ! Ici c'est

la réclusion dans un caveau où le silence même n'est plus un bienfait ; c'est la prison et non l'exil, la captivité avec geôlier muet, mais geôlier quand même.

Comprendrez-vous, ami, cette horreur de vivre dans de tels débats ? Comprendrez-vous que lorsque vous apparaissent les vingt ans, l'adolescence, avec toute la fougue, toute la beauté des jeunes et que vous savez que ces vingt ans ont passé à côté du rêve sublime d'amour seul et éternel, comprendrez-vous qu'on puisse être désespéré et désirer mourir !

Mais mourir pour échapper à l'horreur de la vie, quelle triste sortie…

Affectueusement, votre Jean-Baptiste

Marien, le père de ma grand-mère Marie, se suicida lui aussi. Comme tant d'autres dans cette lignée paysanne. Comme aussi la femme de mon seul oncle, le frère de Maman. Et Dominique, le fils de ma marraine, pensionnaire de la Comédie-Française, destin fauché à moins de quarante ans.

Plus tard, je fus percuté de plein fouet par le choix de ma fille Solenn, ma fille adorée, qui a laissé un trou béant dans notre famille, et des fissures jamais colmatées. On m'a parfois reproché de lui avoir trouvé du courage, même si ce courage-là nous a fait atrocement mal, mais il en fallait pour affronter une rame de métro, et pour quitter violemment ce monde qu'elle n'aimait pas, et où tant de gens l'aimaient d'amour fou. À commencer par sa petite sœur Morgane et sa mère Véronique qui mirent un temps infini à se reconstruire après le drame, comme sa sœur Dorothée et son frère Arnaud ; lui aussi a parfois peur du vertige sur son fil de funambule.

Mille fois, dix mille fois, je me suis dit : « Qu'est-ce qu'elle a dû souffrir ! » Avant, et bien sûr pendant. Chaque fois qu'un homme ou une femme fait ce choix, même s'il s'agit d'individus qui me sont étrangers, je me pose la même question et j'entre en communion avec ce qu'ils ont pu ressentir.

Je déteste les gens qui jugent ou, pire encore, ceux qui excommunient comme l'a fait l'Église catholique pendant si longtemps. Et je me sens proche de tous ces petits frères ou petites sœurs de souffrance.

Parfois, j'aimerais les rejoindre, au paradis des vies brisées, de celles qui n'ont pas eu le temps d'être médiocres, gangrenées par la sottise ou la méchanceté, qui vont si souvent de pair. Et puis je me retiens au bord du gouffre parce que je pense à la peine des rares êtres qui tiennent à moi.

Mais je me reproche cette indécision qui prendra fin quand je me sentirai diminué, ou en survie.

Pour toutes ces raisons, je te respecte encore davantage, ma mère. Tu n'as pas choisi ta fin mais tu as évité la décrépitude, le handicap, l'hôpital. C'est une façon de partir qui te ressemble, digne, orgueilleuse peut-être, mais tant pis. Tu m'as toujours enseigné la droiture, et ce que tu enseignais, tu te l'es appliqué à toi-même. Jusqu'au bout.

De ma chambre, je fis mon univers. Dépressionnaire, anticyclonique selon les jours. Je m'y vautrais sur le tapis, dans une position invraisemblable où j'entrecroisais mes jambes de telle manière qu'on me prit plus tard pour un maître yogi, spécialiste du lotus. C'est ainsi que je dévorais livre sur livre. Entre ceux de mon grand-père, majestueux et imposants, au cuir odorant, et ceux du soldeur d'en face, livres de poche usagés – j'avais commencé par le n° 1, *Kœnigsmark* de Pierre Benoit, avant de suivre servilement l'ordre numérique pendant quelques mois –, j'avalais toutes sortes de médications précieuses à ma condition de garçonnet, puis d'adolescent. Les voyages autour de ma chambre n'avaient pas de secrets pour moi. J'imaginais

Proust enfant dans sa maison d'Illiers, à côté de tante Léonie, et plus tard adulte, boulevard Haussmann à Paris, et j'admirais ce reclus qui s'inventait avec tant de génie un univers entre quatre murs.

Le mien avait la chance d'être un peu plus ouvert que le sien puisque ma fenêtre donnait sur une gigantesque terrasse, trois étages plus bas, parfaitement laide et insignifiante mais immense. Pour ma sœur et moi, et plus tard pour mon frère qui vécut exactement la même enfance et les mêmes fantasmes à onze ans d'intervalle, cette terrasse était synonyme de terrain d'aventures. Difficilement accessible par une fenêtre de l'escalier de service, spongieuse, truffée de cailloux blancs et recouverte d'une mousse improbable, elle me faisait l'effet d'une surface lunaire. Et quand, en juillet 1969, les astronautes américains posèrent le pied là-haut sous mes yeux ébahis, à quatre heures du matin, heure de Reims, je ne fus guère étonné de ce qu'ils y découvrirent. Voilà longtemps que je savais comment c'était fait, la Lune…

Ma mère pénétrait trop souvent à mon goût dans mon territoire. Dès le matin, tout d'abord, de manière assez sournoise, en passant l'aspirateur dans le couloir et en cognant ma porte à de nombreuses reprises avec son instrument de torture, qui est vite devenu pour moi l'une des pires sources de bruits odieux. Vinrent ensuite les fouilles. Elle lisait mes poèmes, mes carnets intimes et cela m'empêcha à jamais de faire de même avec mes enfants.

Et puis il y eut quelques incursions dans mes draps, à la préadolescence, pour vérifier s'il y avait eu pollution nocturne, ce qui me poussa à recourir à de compliqués subterfuges.

Je ne crois pas que ce soit la seule curiosité qui l'ait conduite à cet espionnage de tous les instants. Ma mère aimait tout contrôler, son corps, son âme, et les autres. Elle avait un instinct de dominatrice et détestait que le cours des événements lui échappe, comme les êtres dont elle avait la responsabilité. C'était une femme de tête et nos caractères affirmés avaient parfois tendance, lorsqu'ils s'opposaient, à générer quelques étincelles. Mais sans elle, parfois contre elle, je ne me serais jamais construit comme je le fis, le long d'un chemin tortueux guidé par un esprit toujours aux aguets, rarement au repos.

Lorsque je dus lire un texte d'elle lors de son enterrement à Saint-Jacques, l'église de son mariage et du prénom de mon père, je ne pus m'empêcher de sortir de ma poche une lettre qu'elle m'avait adressée il y a vingt ans lors des fiançailles de mon frère à Belle-Île, où nous nous étions affrontés sur un sujet que j'ai déjà oublié. Et sa correspondance est suffisamment rare pour que je reproduise ici quelques lignes où elle se met à nu, surmontant son habituelle pudeur :

Moi aussi je garderai de ces moments complices un souvenir très fort et ne resteront pas enfouis ces mots qui nous ont touchés et rapprochés ce soir-là à Belle Île. C'est vrai que nous nous ressemblons très fort et nos exigeantes natures ont voulu l'affrontement nécessaire mais je crois qu'aujourd'hui nous avons su capter le secret de nos contradictions.

Merci mon premier-né de me comprendre et de m'aimer en ma complexité, et toi dans tes doutes présents ou à venir, tu sais bien aussi qu'ici on t'aime même si on ne sait pas toujours très bien te le dire.

Je t'embrasse très fort.

Là, elle m'a embrassé…

Ses lettres me manqueront. Elles étaient courtes, à l'économie, mais ne bavardaient jamais pour ne rien dire. Peu de formules de politesse, d'accusés de réception, de lettres de château. Juste des choses qu'elle avait sur le cœur, et l'on pouvait mesurer, à l'échelle de Richter de son enthousiasme toujours très mesuré, l'importance qu'elles prenaient à ses yeux.

Voilà un mois tout juste qu'elle nous a quittés et j'ai déjà raté huit conversations téléphoniques avec elle. Quand je pense que je me moquais de la brièveté de ses réponses et de sa propension à me passer mon père dès que l'échange dépassait la minute ou abordait des sujets trop intimes, à commencer par sa santé. Elle éludait régulièrement, et elle avait bien raison. J'ai toujours fait de même.

Un jour, un seul jour, je l'ai sentie inquiète parce qu'un magazine à scandale avait laissé entendre sans vergogne, sur toute la surface de sa une, que j'étais atteint d'un mal incurable. Elle ne lisait jamais ce type de presse mais il se trouve toujours une bonne âme pour répéter. C'est ignoble parce que ce sont en général les proches que cela alerte, souvent les plus vulnérables, au premier rang desquels les personnes âgées. Délicatement, sans vouloir y toucher, elle m'avait juste demandé : « Ça va ? » et, face à mon enthousiasme un peu forcé, elle avait simplement ajouté : « Tu es sûr ? » sans insister. Ce « Tu es sûr ? » était chez elle le degré maximum de l'intrusion dans les affaires privées des autres, fussent-elles celles de son fils aîné.

Eh bien, ces bouts de minutes volées au temps, ces esquisses de mots tendres qu'elle n'arrivait pas à prononcer, me manquent affreusement aujourd'hui. Plus jamais je ne pourrai lui parler, plus jamais je ne pourrai entendre le son de sa voix. Et cette absence, dont je n'avais pas idée lors de nos six décennies de relation en pointillé, me fait souffrir.

Je me console de temps à autre en me repassant la vidéo qu'avec Olivier et mon fils François, nous avions eu la bonne idée d'enregistrer l'automne dernier.

Par expérience je savais que ce qui manquait le plus aux proches d'un absent, c'était le son de la voix. C'est aussi irrémédiable que la dégradation d'un microsillon, la voix se perd, puis s'oublie. Et on s'en veut tellement d'oublier ce timbre-là, on a peur de trahir par indifférence celle ou celui qui s'est effacé. J'avais été malheureux comme les pierres quand l'écho de Solenn dont le portrait peuplait toutes mes pièces, à la maison et au bureau, s'était doucement éteint. Je me raccrochais à l'enregistrement d'une répétition où elle interprétait l'air de l'aiguille dans *Les Noces de Figaro*. Mais c'était justement une *interprétation* et ce n'était pas vraiment elle. Un rôle, un air, pas ma petite fille martyrisée.

Et puis un jour, j'eus la chance de retrouver une émission télévisée où elle était venue témoigner des affres de l'anorexie et de la boulimie. La lumière du plateau était magnifique, elle jouait avec ses longs cheveux blonds et avec ses yeux si clairs, l'intervieweuse était délicate, Solenn semblait aux yeux de tous sortie d'affaire, tant elle était convaincante dans ses réponses, mais seuls sa mère et moi savions que, la veille de l'enregistrement, auquel elle ne s'était rendue qu'à la dernière minute, après avoir annulé, elle avait fait une nouvelle tentative de suicide, l'une de ces fameuses TS dont parlent entre elles trop d'adolescentes mal dans leur peau qui jouent au yoyo avec leur corps.

Cette émission, je me la suis passée et repassée, pour me bercer de sa voix de gorge, et puis, un beau jour, j'ai décidé d'arrêter parce que cela devenait insoutenable. Je me complaisais dans cette douleur ; il me fallut alors décrocher quelques photos de Solenn mais ce fut chaque fois un arrachement et je dois à la vérité d'avouer que cette opération fut un échec. Dix-sept ans après sa disparition, ma fille est encore très présente dans tous mes univers, chez moi ou au travail. Je pense qu'il en sera de même pour ma mère car je commence à dénicher de-ci de-là des photos d'elle que je punaise un peu partout.

Et puisqu'elle ne me parle plus, je lui parle comme je le fis le jour de ses obsèques en lui lisant un extrait de *Fort comme la mort*, un texte de Maupassant, auteur qu'elle vénérait :

On aime sa mère presque sans le savoir, sans le sentir, car cela est naturel comme de vivre ; et on ne s'aperçoit de toute la profondeur des racines de cet amour qu'au moment de la séparation dernière. Aucune autre affection n'est comparable à celle-là, car toutes les autres sont de rencontre, et celle-là est de naissance ; toutes les autres nous sont apportées plus tard par les hasards de l'existence, et celle-là vit depuis notre premier jour dans notre sang même. Et puis, et puis, ce n'est pas seulement une mère qu'on a perdue, c'est toute notre enfance elle-même qui disparaît à moitié...

Voilà. Privé d'enfance désormais parce que privé de mère. Tout vacille.

Dans les tout premiers jours de janvier, j'étais au chevet de ma mère, au lendemain de cette hospitalisation qui fut la seule de sa vie et qui ne dura pas puisqu'elle fit tout, au prix sans doute de quelques mensonges et de grimaces dissimulées, pour se tirer des griffes d'un univers assimilé au système carcéral. C'est là que je reçus un coup de téléphone de mon assistante m'informant des investigations d'un journaliste qui voulait me faire passer pour un plagiaire. Or la biographie d'Hemingway que je venais de terminer pour le cinquantième anniversaire de sa mort était certainement l'un des livres qui m'avait réclamé le plus de temps d'écriture ; j'ai en effet la faiblesse, ou la paresse, d'écrire à la main, et de conserver tous mes manuscrits.

Celui-ci, dans sa première version, dépassait les sept cents pages et il me fallut beaucoup couper pour arriver à quatre cents. Malheureusement les exemplaires qui furent envoyés aux journalistes n'étaient pas ceux de la version définitive, revue et amendée par mes soins. Il y restait quelques notes proposées par un documentaliste sur une période mineure de la vie d'Hemingway et ce sont ces pages qui posèrent problème au journaliste qui me cherchait querelle. Il fut le seul à y trouver, sur trois brefs passages, quelques ressemblances avec une biographie américaine qui fait autorité sur la jeunesse du romancier. Je l'avais d'ailleurs citée à de nombreuses reprises en fin d'ouvrage...

Par communiqué, mon éditeur s'excusa auprès des journalistes qui avaient reçu cette version provisoire, et bien sûr auprès de moi.

Le livre parut comme prévu à la fin du mois et, parce qu'inattaquable, ne fut attaqué par personne. Je reçus même quantité de témoignages qualifiés pour me féliciter de mon approche personnelle d'un sujet par ailleurs défriché par de grands biographes ou universitaires américains.

Ce qui me passionnait en effet, c'était son regard aimanté par la mort. Trente-trois ans avant son suicide en juillet 1961, son propre père s'était pareillement suicidé, par arme à feu. Et trente-cinq ans après sa fin tragique, c'est sa petite-fille Margaux que l'on retrouva inanimée après une absorption massive de médicaments. Elle est aujourd'hui enterrée auprès de son grand-père dans le cimetière de Ketchum (Idaho). Or Margaux avait été mon amie et, un an avant sa mort, elle m'avait adressé une lettre bouleversante au lendemain du geste de ma fille. Ce cousinage dans le malheur et la tentation suicidaire m'avait tout naturellement poussé dans les bras d'Hemingway, dont la vie, parfois agaçante mais trépidante, ne pouvait que fasciner le jeune lecteur que je fus en découvrant *Le Vieil Homme et la Mer*, *L'Adieu aux armes*, ou encore *Paris est une fête*.

Ce n'était pas la seule raison de ma tendresse pour celui que tout le monde appelait Papa, et qui devint donc un temps mon père de substitution (Claude Brasseur en fut bien le filleul, le veinard !). J'admirais le journaliste tout autant que l'écrivain et je l'enviais d'avoir pu vivre de si près des épisodes aussi marquants de l'histoire que le front italien pendant la Première Guerre mondiale, la guerre d'Espagne, le Débarquement ou la Libération de Paris. J'aimais son regard de reporter sur toute chose et je ne pouvais que m'extasier devant sa capacité à vivre de pair ses deux passions, l'une éphémère, l'autre plus durable. À ma très modeste échelle, j'ai toujours essayé de concilier les deux. Et je ne parle pas de ses autres vies : grand pêcheur, grand chasseur, gros buveur, amateur de femmes et de corridas, quatre fois marié, honoré des prix les plus prestigieux, jusqu'au Nobel, mais profondément malheureux de se voir vieillir si vite et si mal. Jusqu'à cette fin pathétique pour enrayer la déchéance, à soixante et un ans. Mon âge…

La façon dont mon livre fut étouffé trois semaines avant sa publication en librairie me blessa, je n'ai pas honte de le reconnaître. Cela affecta aussi énormément ma mère qui fut ma première lectrice (habituellement et invariablement, c'était mon père) parce qu'elle partageait ma passion pour cet écrivain. Contrairement à Papa qui nous lut toujours, mon frère et moi, avec beaucoup d'indulgence, Maman ne nous passait rien. Sans être vacharde, elle était très exigeante. Cette fois-ci, je fus reçu avec les félicitations du jury. Sans doute faut-il y voir l'influence de cette chambre d'hôpital dont elle avait hâte de sortir et dont le vide déprimant se trouva peuplé par la lecture de mon manuscrit…

Pris dans mes allers et retours entre Elbeuf et Paris, je fus obligé de subir, sans riposter à ces accusations qui se propageaient à la vitesse des rumeurs d'aujourd'hui. Mais la manière dont ma mère me défendit bec et ongles alors que je ne lui avais rien demandé, j'étais bien trop fier pour ça et j'affectais le mépris, m'offrit l'une des rares réjouissances d'un épisode où je me sentis trahi par beaucoup, et même par quelques proches. Je n'ai pas le souvenir de l'avoir vue aussi furieuse, même lorsque, trois ans plus tôt, on m'avait très élégamment montré la porte de la sortie du journal télévisé et d'une chaîne que j'avais servie pendant plus de vingt ans. C'est aux politiques et à leurs valets qu'elle avait alors réservé sa colère. Cette fois-ci, c'est à mon milieu qu'elle en voulait, et même à mes deux milieux, journalistique et littéraire.

Son dégoût fut hélas contagieux. J'eus ce mois-là un minuscule chagrin semblable à mon histoire de poisson rouge et le réconfort de sa maman ne fut pas suffisant pour soulager le petit garçon que j'étais redevenu.

Je n'ai pas assez dit que ma mère était belle. Je l'avais écrit un jour pour un article de la revue *Égoïste* avec sa fameuse photo de star et je crois qu'elle en avait été fière. Comme elle ne disait jamais rien au nom de sa sacro-sainte pudeur, je ne peux l'affirmer à cent pour cent mais, à deux ou trois intonations de sa voix, il m'a semblé qu'elle était heureuse d'être ainsi dépeinte par son fils :

Elle a une tête d'actrice de cinéma. Dans ce portrait façon Harcourt, il y a une superbe de féline et un nez d'aigle royal. Je suis sûre que, petite, la jeune Madeleine devait être très dure. C'est déjà à la force du poignet que ses parents s'étaient extraits de la condition paysanne pour accéder au statut, très envié entre les deux guerres, de bourgeois. Son père, mon poète vénéré Jean d'Arvor, affirmait sa puissance de la cassure du nez à l'orteil de sa jambe malade. Silhouette trapue, barbe terrifiante, canne vengeresse, parfait prolongement de sa main de lutteur, il impressionnait vigoureusement son entourage, terrorisait son fils et martyrisait sa pauvre et douce femme. Tout autre que ma mère eût pu être broyé comme une noisette. Mais elle grandit droit et fort, sans besoin de tuteur. Je suis sûr qu'elle devait bénéficier de la secrète indulgence d'un père plus sensible aux femmes qu'il n'y paraissait. Elle parvint à l'adolescence avec des avantages qui la distinguèrent rapidement de ses camarades rémoises. Mais c'est à Paris, en première année de droit, que la fière provinciale fit des ravages. Elle détailla l'amphithéâtre de la rue d'Assas et porta son intérêt sur le seul étudiant qui ne se faisait pas remarquer par une exceptionnelle assiduité aux cours : mon père. Il avait quelques facilités et emportait tout, examens comme le reste, à la séduction. Je suis donc sûr qu'il apprivoisa ma mère avec quelque rouerie avant d'en tomber définitivement amoureux. Soixante ans après, il l'est plus encore qu'au premier jour.

Cette constance dans l'amour est admirable pour qui ne sait rester fidèle. Ces deux-là ne formaient qu'un être et ne se trompèrent probablement jamais. Nos railleries de garnements sur telle ou telle allusion de l'un ou de l'autre ne nous permirent jamais d'en savoir plus. Ni sur un amoureux transi de ma mère avant son mariage. Ni sur une rousse pulpeuse pendant l'une des tournées de mon père. Ils étaient à ce point fusionnels que je fus presque choqué de découvrir un jour des préservatifs dans un tiroir de leur table de nuit ! Un papa n'a pas à faire l'amour avec une femme, fût-ce une maman...

Je ne crois pas pour autant avoir été jaloux de mon père. Je ne l'ai simplement jamais associé à la naissance de ma sexualité.

Lorsqu'enfin, sans avoir à me cacher, je pus avoir accès aux fameux livres interdits de l'armoire secrète, je découvris une version illustrée, richement reliée et fort suggestive, du Kama Sutra. Bien évidemment je fus troublé. Voilà donc pourquoi ma mère fermait le meuble à clé. Mais quel plaisir pouvait-elle y trouver ? Nouveau trouble. Je l'assouvis en feuilletant des vieux numéros de *Paris Match* chez ma grand-mère, à la recherche de deux filles de mon âge qui me plaisaient sacrément, deux Caroline, Grimaldi et Kennedy.

Et puis, un jour, me vint une révélation étrange. Ce qui se rapprochait le plus à mes yeux, et surtout à mon palais, de la sensualité exacerbée, c'était le lait concentré ! J'ai avoué cette addiction dans mon premier livre, à l'adolescence, quand je n'en eus plus honte. Et je fis très vite grande consommation du breuvage, de préférence quand il était en tube. Ma mère me le reprocha. Il me fallut donc ruser. J'avais repéré la cachette, mais, pour ne pas être trop rapidement démasqué après mon péché de gourmandise et de luxure, je soufflais dans le tube pour lui redonner son apparence originelle...

Et que découvris-je dans le réfrigérateur de ma mère lorsque je préparai ce dîner si peu funèbre de notre première veillée sans elle ? Du lait Nestlé... Mon père me garantit qu'elle était seule à en prendre et m'incita à rapporter le tube chez moi le lendemain. Ce fut le seul objet d'elle que j'emportai d'Andé. Il était déjà entamé. Je le bus le soir même en pensant à elle. Et je n'eus pas besoin de le regonfler...

Ai-je été amoureux de ma mère ? Il paraît que tous les petits mâles l'ont été un jour. Certains d'entre eux le sont à ce point qu'il leur est ensuite impossible d'aimer d'autres femmes. Proust n'est pas le seul à en avoir fait l'expérience. Or il est vrai que la virilité s'affirme étrangement chez les petits garçons sensibles. Pour ceux qui ont passé ce stade, pas de question philosophique : un concours de quéquettes dans la cour de récréation. C'est à celui qui a la plus grosse. Le problème c'est qu'ils continuent sur le même registre : à moi la plus grosse voiture, la plus grosse montre, le plus gros yacht, la plus grosse maison. Je possède donc je suis. Il y a des gens que ça rend heureux.

Et puis il y a ceux qui, secrètement, jouent à une autre sorte de concours : celui de la plus belle maman. Cela se dispute en général à la sortie de l'école, vers les quatre heures et demie, quand toutes les mères attendent, en rang d'oignons, leurs petits.

De mon temps, et dans mon milieu social, il n'y avait pas encore de nounous. Donc une dame qui papotait devant l'école – il n'y avait pas non plus de portables à l'époque, personne ne monologuait avec ses petits doigts –, c'était forcément une maman. Et, soyons franc, il y en avait des moches et des plus réussies. C'est entendu, pour chaque petit enfant, sa maman est la plus belle du monde. Encore heureux. Mais les autres, eux, jaugent et font des comparaisons. Tout le monde regardait ma mère. J'avais donc l'absolue certitude d'avoir la plus jolie.

Je me souviens d'une femme, qui, je le crois, était concierge, d'origine espagnole, et boitait légèrement.

Elle attendait son fils un peu à l'écart de la petite foule qui se pressait sur le trottoir, à la sortie de l'école Libergier.

Et cette mère m'intriguait. J'avais imaginé qu'elle souffrait en marchant et que, pour s'économiser, elle évitait de franchir les derniers mètres. Un peu plus tard, le doute s'est installé en moi en observant le comportement de l'enfant : contrairement à tous les autres, il ne se précipitait pas dans les bras de sa mère en criant ; il se dirigeait lentement vers elle, tête basse. Je me suis alors dit, et j'avais honte de le penser, que c'était le petit garçon qui lui avait demandé de se tenir à l'écart, parce qu'elle était boiteuse, pas très belle – elle avait un duvet de moustache –, et qu'il n'était pas fier d'elle. Aujourd'hui, en me remémorant ces scènes qui avaient quitté ma mémoire pendant cinquante ans, je vois les choses autrement : je suis persuadé que, d'elle-même, cette femme avait choisi de ne pas gêner son fils. Et cela me fend le cœur.

Ma mère, elle aussi, se tenait hors du groupe. Mais c'est parce qu'elle était orgueilleuse. Je voyais bien les regards en coin des commères ; je suis sûr qu'elles étaient jalouses. Ma mère ne se « mélangeait » pas. C'était son grand mot. Ni à la sortie de l'école, ni au parc Pommery, ni, hélas, à la maison : nous ne recevions que très peu d'amis. Peu de dîners animés, de va-et-vient dans l'appartement. Se sentait-elle supérieure ? C'est possible, car ses jugements étaient tranchants, sur ses voisins, les commerçants, les acteurs de l'actualité. Et sa fierté rebelle, sa solitude farouche. Mais, au fond de moi, j'en souffrais. Car, comme elle, ses enfants ne recevaient pas d'amis à la maison. Ou parcimonieusement. Pour ma part, je me souviens de trois d'entre eux : François, le petit champignon-coccinelle, Hervé, le fils du grand transporteur de la ville qui avait été naguère l'employeur de mon père, et Xavier, dont le nom de famille était connu de tout Reims, ce que j'enviais secrètement, et qui plus tard, après une longue boucle symbolique, allait devenir le cancérologue qui soigna ma belle-mère Anne-Marie en Bretagne jusqu'à sa mort. Trois amis en dix ans dans ma chambre !

Quand j'allais chez Xavier, j'exultais sans trop oser tout raconter à ma mère. Bien sûr, c'était beaucoup moins bien rangé qu'à la maison, mais j'aimais cette joyeuse pagaille. Les portes claquaient – chez nous le silence était une règle de vie –, le téléphone sonnait à tout bout de champ, alors que, rue de Talleyrand, on avait l'interdiction de recevoir un coup de fil, et en passer un, sous contrôle de l'autorité maternelle, relevait de l'épreuve. Je le revois encore, ce téléphone en bakélite, droit comme un corbeau, avec ce si beau combiné qui me faisait rêver parce que, derrière ces numéros rouges, il y avait la promesse d'un ailleurs. Un ailleurs qui nous était interdit.

Chez Xavier, on déjeunait ou dînait à toute heure, il y avait toujours un enfant ou un adulte pour débarquer en cours de route, sans qu'on lui en fasse reproche et, pour toutes ces raisons, cela me semblait la Maison du Bonheur.

Ils étaient nombreux, nous n'étions que deux, plus Olivier qui devenait bambin. Ils étaient joyeux, nous étions austères. Pas un mot plus haut que l'autre, sauf ceux de ma mère quand elle était en colère.

Étrangement, dans ces cas, elle prenait l'accent allemand, alors qu'il n'y avait rien de germanique dans ses origines et qu'à quinze ans elle avait nargué les soldats nazis pendant l'Occupation : « Wollen sie ze taire ! » nous intimait-elle dans un sabir bien à elle. Et l'on entendait les mouches voler. Si, par malheur, nous n'avions pas desservi entièrement la table après les repas, nous avions droit à un « Zerviettes en dékoration ! » que nous seuls pouvions comprendre...

Mais nous ne rechignions pas. Nous savions simplement qu'il existait deux mondes. Le monde de l'Ordre établi, droit comme la justice, où la rectitude était de mise, d'où cette idée qui me hanta plus tard et dont je fis ma devise : « Tenir et se tenir. » Tenir bon et se tenir bien. Faire preuve de courage et d'élégance. Et puis le monde de l'Aventure, si mystérieux, si fascinant pour un enfant. Je succombais bien vite à ses charmes vénéneux. Comme ma sœur ensuite, et mon frère. Mais, jusqu'à mon dernier souffle, je serai reconnaissant à ma mère de nous avoir élevés le long d'un tuteur inflexible. Il m'est arrivé de me tenir voûté, surtout à l'adolescence, mais je crois ne m'être jamais mal tenu. Elle y est pour beaucoup.

Si je parle tant de ma mère, c'est qu'elle n'est plus là bien sûr et que ce monologue essaie tant bien que mal de la maintenir en vie. Mais c'est aussi parce que mon père n'était pas souvent présent, pendant notre enfance.

Avant de devenir directeur commercial de son entreprise, il avait longtemps exercé un métier qu'au fond de lui il n'aimait pas, qu'il subissait plus qu'il ne l'avait choisi, mais qui lui permettait de subvenir aux besoins de sa petite famille : il était représentant de commerce. Pour faire plus chic, ou plus moderne, on disait aussi VRP. Voyageur, représentant, placier. Placier ? Kesaco ? Mais voyageur, ça me plaisait bien. Plus tard je serai voyageur et aventurier.

Pour le moment, l'aventure s'arrêtait aux confins de la Marne, des Ardennes, de la Meuse, de l'Aube, de la Haute-Marne, de la Côte-d'Or, de la Haute-Saône et du Doubs. Des routes souvent verglacées, des villages inconnus de tous, sauf de lui, des villes improbables : Langres, la plus froide de France l'hiver, ça me faisait peur, mais aussi la patrie de Diderot, ça ne me faisait pas encore rêver. Sainte-Menehould, spécialité : pieds de cochon farcis, j'avais essayé un jour, je n'ai jamais recommencé. L'infâme Drouet y avait reconnu Louis XVI lors de sa fuite et l'avait dénoncé pour qu'on l'arrête à Varennes, à quelques kilomètres. Hou le cafteur ! Vitry-le-François, Sézanne, Chaumont, Gray, Vouziers, Sedan, Rethel... et Vendôme, Orléans, Beaugency ! Non, je m'égare. Je galope avec Jeanne d'Arc, la petite bergère de Domrémy. Avec Napoléon qui fit ses études à Brienne-le-Château. Avec Victor Hugo, né à Besançon. Pasteur, originaire de Dole, juste à côté. Rimbaud, né et enterré, dans tous les sens du terme, à Charleville... Il en avait de la chance, mon père, il sillonnait toutes ces villes. Mais aussi Montbard, la capitale de la saucisse, Morteau, tiens, encore des saucisses, Dijon, de la moutarde pour les faire passer, Commercy, les madeleines chères à mon cœur...

Pendant ce temps, ma Madeleine à moi, la seule, l'unique, prénommée Madeleine-France non par patriotisme mais parce que son père adorait Anatole France, et correspondait avec lui, Dieu qu'il en était fier, ma Madeleine à moi donc, et à ma sœur, attendait le retour de son mari. Une semaine, deux semaines, parfois trois semaines de tournée. Il en revenait épuisé. Qu'est-ce qu'il lui en avait fallu, de kilomètres, d'auberges modestes, de chambres miteuses, pour placer ses chaussures. Et qu'est-ce qu'il lui en avait fallu, de pantoufles, mocassins, escarpins, Louis XV, sandales et chausses en tous genres pour nourrir sa femme et ses enfants.

Je suis incollable sur les chaussures : à chaque retour de tournée, en général le samedi ou le dimanche après-midi, nous nous installions, ma sœur et moi, autour de la table familiale pour procéder à la cérémonie des vignettes, dont je garde grand souvenir. Il s'agissait de coller, avec force lapées, des petites figurines représentant les modèles que mon père avait vendus auprès de chaque détaillant, petit ou gros. Il y avait plus de petits que de gros... Les dénominations étaient pompeuses, Pompadour, Versailles, Chambord, Fontainebleau, mais elles nous permettaient de voyager. Et les noms des clients de

Papa nous faisaient souvent rire. Nous les imaginions, en couple, achetant chichement deux paires de pantoufles à mon père, lui offrant un petit verre qu'il refusait parce qu'il y avait de la route et lui, toujours gentil, qui les remerciait de l'avoir délesté de ces quatre minables godasses. Il rangeait alors ses interminables valises en forme de cercueil dans un break qui ressemblait à un corbillard et il repartait sur ces petites routes incertaines.

Comme il a dû souffrir d'être loin de sa femme et de ses enfants qui ne lui faisaient même pas fête à son retour, les ingrats ! Mais ils ne savaient pas à l'époque... Peut-être au fond d'eux-mêmes lui en voulaient-ils de ses absences. Peut-être plus simplement ne se posaient-ils pas de questions. Il n'y avait à la maison qu'une figure tutélaire et c'était elle le chef de famille. Maman, la maîtresse femme au martinet et au petit billet de cent francs quand on avait un bon carnet de notes pour acheter un Indien, un cow-boy ou, plus tard, un livre. Celle qui grondait et qui décidait. Qui choisissait pour nous et pour son mari. Qui m'habillait en culotte courte alors que j'aurais tant aimé un pantalon. La mère, toujours là pour nous attendre au retour de l'école, toujours là pour nous réveiller et nous préparer un bon petit déjeuner, nous faire prendre un bain, nous vêtir avant la classe, nous consoler après…

Toujours là, mais plus maintenant.

Nous consoler… Pas si sûr. Les souvenirs se brouillent dès qu'il s'agit d'exhumer de la tendresse entre nous. Peut-être sont-ils obscurcis par d'infimes ressentiments qui refont surface. Alors, vidons ces querelles.

Je suis, comme beaucoup, révolté par l'injustice et je l'étais encore davantage enfant. Et il en était une qui me faisait bondir : la réaction de ma mère quand j'avais le malheur d'être malade. C'était toujours ma faute ! Je ne m'étais pas assez couvert, j'avais trop couru dans la rue, j'avais bu de l'eau non potable, j'avais mangé en dehors des repas, etc. Avec elle, c'était la double peine : tomber malade puis se le faire reprocher.

Ces derniers mois, j'ai compris : c'est parce qu'elle détestait elle-même la maladie. Je ne l'ai jamais vue souffrante sauf au début de sa dernière année.

Toute sa vie elle a combattu l'envahisseur comme mon père l'avait fait à vingt ans face aux Allemands en déroute à Saint-Michel-Chef-Chef dans la redoutable poche de Saint-Nazaire. Et ce qu'elle s'imposait à elle-même avec tant d'efficacité, il fallait qu'elle le fasse partager aux autres. D'où cette interdiction de flancher. « Les grandes douleurs sont muettes », disait-elle à tout propos.

Cela, je ne pouvais le savoir à huit ou dix ans. Ce que je savais, c'est que j'adorais tomber malade : cet état passif dans lequel on se laisse sombrer avec délice, ce frissonnement annonciateur de la fièvre, ce lent engourdissement qui me faisait penser à une manière de coma – extrémité dont je n'avais pas la moindre idée si ce n'était à travers mes références littéraires –, cette façon de remettre son destin en des mains amies, sans pouvoir le contrôler, tout cela était savoureux. Il m'arrivait enfin quelque chose, tels mes héros dont je suivais les aventures la nuit avec une lampe torche sous les draps, comme si ma mère pénétrant soudainement dans ma chambre pouvait être dupe de ce manège et de ce rai de lumière...

Quand je parle de mains amies, j'évoque bien

sûr celles de ma mère qui, une fois les reproches passés, se révélait une excellente aide-soignante. Et celles du Dr Coffin, que l'on surnommait le Dr Aspirine, tant il se méfiait des médications trop compliquées. Nous n'eûmes jamais à nous en plaindre. Et j'ai été ému de le retrouver, plus de cinquante ans après, dans les travées de l'église Saint-Jacques ce 20 juillet, il y a tout juste un mois, tel qu'en lui-même, prêt à nous prodiguer de nouveaux soins. S'il a quelque chose contre le vague à l'âme, je prends.

Comme le Dr Coffin n'était jamais alarmiste, ma mère en profitait pour écourter cet alitement qui me plaisait tant parce que je pouvais découper consciencieusement les publicités des magazines qu'il m'était alors permis de lire – avec une prédilection pour les égéries du savon Lux et les mamans des Bébé Cadum... – et plus tard parce que j'ai pu dévorer mes livres, couché, en toute impunité.

C'est alors que j'eus recours, en deux ou trois occasions, à un stratagème dont je ne suis aujourd'hui plus aussi fier qu'à l'époque. Lorsque ma mère me confiait le thermomètre et qu'elle ne restait pas dans la chambre, je me levais sans bruit et plaçais l'instrument sur le radiateur. Je patientais deux minutes tout au plus avant de me recoucher et d'attendre son retour d'un air angélique. C'était imparable : je frôlais ou dépassais les 40 °C. J'affectais la surprise et la déception. Ma mère, elle, était sincèrement plus affectée…

Cette ruse s'acheva un jour assez piteusement. J'avais dû laisser le thermomètre un peu trop longtemps sur le radiateur. Quand je regagnai mon lit, je procédai à l'habituelle vérification. Horreur ! 43 °C !

Affolé, je le secouais comme j'avais vu le médecin le faire. Toujours dans le rouge : 41 °C et des poussières. Pas crédible. Cette fois-ci, je l'agitais comme un damné juste au moment où ma mère revenait. Par chance, elle n'avait rien vu de la manœuvre : j'avais fourré très vite mes mains sous les draps. Lorsque je les en avais extraites avec le thermomètre, Maman avait lu et souri, soulagée : « Debout, mon petit garçon, tu es guéri ! » 36,9 °C ! Ça ne m'était jamais arrivé… J'avais le rouge au front, mais cette fois-ci, ce n'était pas la fièvre, c'était la honte.

Hélas, deux ans plus tard, je n'eus plus à jouer la comédie.

J'achève ma promenade avec ma mère. On a fait le tour du jardin, le tour de notre vie commune. Plutôt des éclats de vie qui ont surnagé dans ma mémoire et qui ne peuvent la résumer parce qu'évidemment, elle était bien plus complexe que je ne l'ai perçue quand elle a fermé les yeux à jamais. Mais c'est ma mère à moi, pas forcément celle de Catherine, pas forcément celle d'Olivier.

Et pour lui dire tout à fait au revoir, très naturellement, je suis revenu au moment de mon enfance où tout a failli basculer du mauvais côté, failli simplement, ce qui me vaut aujourd'hui de pouvoir le raconter.

Je n'ai pas fait que semblant d'être malade, j'ai fini par l'être, et assez sérieusement. Bien fait pour moi. À force de tenter le diable…

Quelques mois après mes simagrées de radiateur et de thermomètre, j'ai été atteint d'une forme rare de maladie du sang. Une histoire de bataille navale entre globules blancs et globules rouges, et que les blancs ont été à deux doigts de gagner. Je l'ai racontée dans mon premier livre, *Les Enfants de l'aube*, que j'avais écrit à Strasbourg, l'hiver de mes dix-sept ans. À vrai dire, le roman s'appelait à l'époque *Moia Bieda*. J'en avais emprunté le titre à mon compositeur favori, Frédéric Chopin, qui avait empaqueté les lettres de son amour malheureux, Maria Wodzinska, d'une pauvre faveur rose avec ces deux mots polonais qui peuvent se traduire par Mon malheur, Ma douleur. Disons plutôt Mon chagrin, cela m'arrange aujourd'hui.

J'avais situé l'intrigue dans un sanatorium suisse imaginaire, Weitershausen, simplement parce que j'avais admiré dans un film une actrice allemande de ce nom. Je ne sais même plus lequel et je ne sais pas ce qu'elle est devenue. Je n'ai plus jamais entendu parler d'elle. J'en viens presque à me demander si elle a existé. Elle restera mon amoureuse secrète.

Dans la réalité Weitershausen s'appelait Wangenbourg et se situait dans les Vosges. J'y ai passé les mois les plus magiques de ma vie. Je les ai enjolivés, puis dramatisés pour les besoins de mon roman car j'avais besoin de maquiller des épisodes trop douloureux de mon enfance. Mais ce que j'ai vécu, ce qu'a vécu Augustin Meaulnes dans le récit magnifique d'Alain-Fournier, mort aux premières heures de la Grande Guerre après avoir écrit son chef-d'œuvre, personne ne peut me l'enlever, pas plus qu'à lui. Son château a existé dans ses rêves, son héroïne Yvonne de Galais a existé elle aussi. Le mien n'a pas été que mirage et la Camille de mon roman s'appelait dans la vraie vie Shirley.

C'est ce qui a précédé l'histoire de mon roman qui a été le plus pur. Parce que c'est avec ma mère que je l'ai partagé. Et avec elle seule. Elle m'avait accompagné à Wangenbourg pendant trois semaines au cœur du printemps, avant le sana, et ces trois semaines resteront à jamais gravées dans ma mémoire.

Elle avait loué deux chambres dans un petit hôtel plein de charme. Deux ou une ? Je ne m'en souviens pas avec certitude tant nous étions fusionnels cette année-là. C'était la première fois que je l'avais pour moi tout seul.

Et la première fois que je manquais la classe avec une telle allégresse. Mes petits camarades, qui ne m'intéressaient pas, trimaient dur à

Reims, et moi j'étais en train de conter fleurette à ma mère, dans un paysage enchanteur.

Le matin, il me fallait garder la chambre sauf le jeudi où j'avais le droit d'aller chercher *Le Journal de Mickey* que mon grand-père Numa Castelain m'avait acheté pour la première fois à Reims dans les Hautes Promenades, ombragées de marronniers qui libéraient leurs fruits. J'avais sept ans et je venais de fêter mon anniversaire le 20 septembre.

Je me souviens de petits déjeuners délicieux à Wangenbourg. Chocolat chaud et kouglof, brioche que ma mère jugeait « bourrative » mais qui me paraissait terriblement exotique. Je me souviens surtout de nos sorties en forêt l'après-midi, peuplées de peurs diffuses parce que tout était inquiétant derrière ces hauts sapins. Le moindre bruit faisait galoper mon imagination. C'était le meilleur remède que j'avais trouvé pour ne pas sursauter. J'avais ainsi appris à dominer mes craintes quand mes parents nous avaient laissés un jour à la campagne chez leurs amis Grosdidier à La Chapelle-Heurlay, à une quarantaine de kilomètres de Reims. J'avais découvert la recette en lisant *Poil de Carotte* : s'aventurer chaque soir un peu plus loin dans le noir, au milieu de poules que je réveillais et de bêtes mystérieuses qui me filaient entre les jambes. Et c'est ainsi que l'enfant sauvage qui avait tant peur de devenir une mauviette fit l'apprentissage du courage.

Mais si j'étais si fier et si vaillant ce printemps-là dans les Vosges, c'est que Maman me serrait bien fort la main.

Elle me l'a lâchée.

Depuis…

Depuis, j'ai toujours les jambes en coton. Mais ce n'est pas de peur que je tremble. En achevant ce livre, je n'ai pas retrouvé mes appuis, j'ai l'impression que ce déséquilibre m'accompagnera jusqu'à la fin de ma vie. Je me sens incertain parce qu'une seconde fois on m'a coupé le cordon ombilical qui me reliait à elle. J'ai été en manque d'une fille, puis d'une deuxième, et d'une troisième à venir, et ce n'est pas normal parce que les petits ne doivent pas partir avant les grands. Aujourd'hui je suis en manque de mère, et pourtant on me dit que c'est dans l'ordre naturel des choses. Alors je ne me plains pas, elle n'aimerait pas.

Mais je plains mon père, trois fois par jour au

moins au moment des repas. Parce qu'il m'a dit qu'il lui arrive encore de se tromper et de mettre le couvert pour deux. Et de pleurer à chaudes larmes dans ces moments-là, quand personne ne le regarde. Je promène ma tristesse, m'a-t-il confié l'autre jour en rentrant seul de la forêt.

Elle nous a bridés avec sa pudeur, ses sentiments qu'on doit garder pour soi, ses mots enfouis, ses silences. Aujourd'hui, il n'y a plus qu'un grand, un très grand Silence.

Sa dernière lettre :

Andé, ce mercredi au petit lever...

Notre cher Patrick,

Parce que les oiseaux chantent si tôt déjà, que la nature est déjà verte et rassurante, je veux que toi aussi tu sois dans ton cœur rassuré et serein...

Tu sais combien nous t'aimons tous si profondément mais nous devons le redire plus souvent : au téléphone maman ne trouve pas toujours les mots tendres et justes. Par lettre c'est plus simple ; on masque ses émotions. J'admire Jacques qui parle si librement avec tant de sincérité et d'affection.

Comme lui tu es le père pélican si viscéralement attaché à sa progéniture...

Nous t'embrassons tous les deux très fort comme nous t'aimons.

Et cette fois-ci, la dernière, elle m'a embrassé très fort...

DU MÊME AUTEUR

Mai 68-Mai 78, *Seghers, 1978*
Les Enfants de l'aube, *roman, JC Lattès, 1982*
Deux amants, *roman, JC Lattès, 1984*
La Traversée du miroir, *roman, Balland, 1986*
Les Derniers Trains de rêve, *Le Chêne, 1986*
Rencontres, *JC Lattès, 1987*
Les Femmes de ma vie, *Grasset, 1988*
Lettres à l'absente, *Albin Michel, 1993*
Les Loups et la Bergerie, *roman, Albin Michel, 1994*
Elle n'était pas d'ici, *Albin Michel, 1995*
Les Plus Beaux Poèmes d'Amour, *anthologie, Albin Michel, 1995*
Un héros de passage, *roman, Albin Michel, 1996*
Une trahison amoureuse, *roman, Albin Michel, 1997*
Lettre ouverte aux violeurs de vie privée, *Albin Michel, 1997*
Petit homme, *roman, Albin Michel, 1999*
L'Irrésolu, *roman, Albin Michel, prix Interallié, 2000*
Un enfant, *roman, Albin Michel, Prix des lecteurs du Livre de Poche, 2001*
J'ai aimé une reine, *roman, Fayard, 2003*
La Mort de Don Juan, *roman, Albin Michel, prix Maurice-Genevoix, 2004*
Rêveurs des mers, *Mengès, 2005*

L'Âge d'or du voyage en train, *Le Chêne, 2006*
Aimer, c'est agir, *Fayard, 2007*
Horizons lointains, *Éditions du Toucan, 2008*
Petit prince du désert, *roman, Albin Michel, 2008*
À demain ! En chemin vers ma liberté, *Fayard, 2008*
Et puis voici des fleurs… Anthologie de la poésie française, *Le Cherche Midi, 2009*
Fragments d'une femme perdue, *roman, Grasset, 2009*
Tenir et se tenir, *Presses de la Renaissance, 2010*
La Bretagne vue par Patrick Poivre d'Arvor, *Hugo Image, 2010*
Un mot de vous, mon amour. Anthologie de mes lettres d'amour préférées, *Le Cherche Midi, 2010*
Hemingway, la vie jusqu'à l'excès, *Arthaud, 2011*

OUVRAGES EN COLLABORATION

Le Roman de Virginie, *avec Olivier Poivre d'Arvor, Balland, 1985*
L'Homme d'image, *entretiens avec Françoise Verny, Flammarion, 1992*
La Fin du monde, *roman, avec Olivier Poivre d'Arvor, Albin Michel, 1998*
Les Rats de garde, *avec Éric Zemmour, Stock, 2000*
Courriers de nuit, *avec Olivier Poivre d'Arvor, Place des Victoires, 2002*

Coureurs des mers, *avec Olivier Poivre d'Arvor, Place des Victoires, 2003*

La légende de Mermoz et de Saint-Exupéry, *avec Olivier Poivre d'Arvor, Mengès, 2004*

Frères et sœur, *avec Olivier Poivre d'Arvor, Balland, 2004*

Pirates et Corsaires, *avec Olivier Poivre d'Arvor, Place des Victoires, 2004*

Le Monde selon Jules Verne, *avec Olivier Poivre d'Arvor, Mengès, 2005*

Chasseurs de trésors et autres flibustiers, *avec Olivier Poivre d'Arvor, Mengès, 2005*

Confessions, *entretiens avec Serge Raffy, Fayard, 2005*

Les Aventuriers du Ciel, *avec Olivier Poivre d'Arvor, Albin Michel Jeunesse, 2005*

Une France vue du ciel, *avec Yann Arthus-Bertrand, La Martinière, 2005*

Disparaître, *roman avec Olivier Poivre d'Arvor, Gallimard, 2006*

Lawrence d'Arabie, la quête du désert, *avec Olivier Poivre d'Arvor, Place des Victoires, 2006*

Les Aventuriers des mers, *avec Olivier Poivre d'Arvor, Albin Michel Jeunesse, 2006*

J'ai tant rêvé de toi, *roman avec Olivier Poivre d'Arvor, Albin Michel, 2007*

Solitaires de l'Extrême, *avec Olivier Poivre d'Arvor, Mengès, 2007*

Le Mystère des pirates, *avec Olivier Poivre d'Arvor, Albin Michel Jeunesse, 2009*

Mots pour mots, *Collection en six volumes avec Olivier Poivre d'Arvor, Points Seuil, 2009, 2010*
Jusqu'au bout de leurs rêves, *avec Olivier Poivre d'Arvor, Mengès, 2010*

Pour l'éditeur, le principe est d'utiliser des papiers composés de fibres naturelles, renouvelables, recyclables et fabriquées à partir de bois issus de forêts qui adoptent un système d'aménagement durable.

En outre, l'éditeur attend de ses fournisseurs de papier qu'ils s'inscrivent dans une démarche de certification environnementale reconnue.

Cet ouvrage a été composé
par IGS-CP à L'Isle-d'Espagnac (Charente)

Achevé d'imprimer en octobre 2011
sur Roto-Page
par l'Imprimerie Floch
à Mayenne
pour le compte des Éditions Stock
31, rue de Fleurus, 75006 Paris

Imprimé en France

Dépôt légal : novembre 2011
N° d'édition : 01 – N° d'impression : 80707
54-51-9947/0